这里是河北

草木葱郁

CAOMU CONGYU

主编 丁伟 徐凡

著 冯小军

河北出版传媒集团
花山文艺出版社
方圆电子音像出版社
河北·石家庄

图书在版编目（CIP）数据

草木葱郁 / 冯小军著. —— 石家庄：花山文艺出版社，2023.12
（"这里是河北"丛书 / 丁伟，徐凡主编）
ISBN 978-7-5511-0517-0

Ⅰ. ①草… Ⅱ. ①冯… Ⅲ. ①散文集—中国—当代 Ⅳ. ①I267

中国国家版本馆CIP数据核字(2023)第195104号

丛 书 名："这里是河北"丛书
主　　编：丁　伟　徐　凡
书　　名：草木葱郁
著　　者：冯小军
出 版 人：郝建国
出版监制：陆明宇　李　利　唐　丽
出版统筹：李　彬　王玉晓
责任编辑：林艳辉
特约编辑：蒋海燕　杨玉岭
责任校对：李　伟
封面设计：书心瞬意
装帧设计：李关栋　张　曼
美术编辑：胡彤亮　王爱芹
出版发行：花山文艺出版社
　　　　　方圆电子音像出版社
销售热线：0311-88643299/96/17
印　　刷：保定市正大印刷有限公司
经　　销：新华书店
开　　本：710毫米×1000毫米　1/16
印　　张：12.75
字　　数：143千字
版　　次：2023年12月第1版
　　　　　2023年12月第1次印刷
书　　号：ISBN 978-7-5511-0517-0
定　　价：76.50元

（版权所有　翻印必究·印装有误　负责调换）

目录

融媒体电子书
https://h5.fangyuanpress.com/cm.htm

第一单元
地球卫士

壹　不负情思不负山　／ 002
贰　创造绿色奇迹　　／ 025

第二单元
草木植成

壹　大自然告诉我们　／ 043
贰　再造秀美山川　　／ 066
叁　绿色经典　／ 088

第三单元
动物邻居

壹　原住民在回归　/ 106
贰　共存之道　/ 115
叁　可敬的护鸟人　/ 128

第四单元
草木之盛

壹　从"浅绿"到"深绿"　/ 140
贰　共享绿色福利　/ 162

第五单元
冀景撷英

白石山　/ 182

避暑山庄　/ 184

草原天路　/ 186

丰宁坝上草原　/ 188

木兰围场　/ 190

塞罕坝国家森林公园　/ 192

驼梁　/ 194

野三坡　/ 196

扫码听书

扫码看视频

第一单元

地球卫士

壹 >> 不负情思不负山

1. 幸福由从苦寒来

雄浑、辽阔、悠然、飘逸的氛围包围着每一个来观光的人，人们像远方来客见到了新天地似的瞪着惊奇的眼睛，张大嘴巴一次次深呼吸。哇！塞罕坝森林草原太美了，它如此让人销魂，让人心潮起伏。

站在东坝梁山巅极目远眺，岚气弥蒙，峰峦苍茫，森林浩瀚无际，草原树木融为一体。

近处蓊郁的落叶松和秀美的白桦树和谐地混生在一起。仰望高天，碧空净朗，一朵朵棉花似的白云在蓝天下悠闲地飘浮。北风拂面，空气甘洌，森林草原特有的芳香气味扑进鼻孔，顿时感觉神清气爽。林间隙地上绿野繁花，千姿百态。低矮的白蒿、地榆、金莲花，宛如碎花地毯一样好看。人们欢喜得不得了，想躺下打个滚儿，撒个欢儿。

◎ 右页图　草原之晨／吉久利　摄

第一单元 地球卫士

草木葱郁 004

"塞罕塔"上视野开阔。居高临下俯视森林，大片落叶松尽收眼底。

视野里的树木不见树干只见树冠，树冠又几乎不见枝丫只见树尖。

密密麻麻，像极了菠萝表皮上整齐分布的菱形图案。近处翠绿，稍远浅绿，再远灰绿，远淡近浓浑然一体。

来欣赏塞罕坝这片人工林海，目睹绿树花草，不妨和国内外有名的森林比较，这里的森林因与草原相接，林相更有魅力。著名作家峻青来这里时曾经这样赞美她："草原上，多种多样的野花竞相开放，把个绿色的大草原，点缀得像一张五彩缤纷的大地毯，煞是好看。而草原丘陵上的树木，也特别茂盛，特别好看，尤其是小白桦，它简直就像一个个亭亭玉立的少女，娴静文雅，婀娜多姿。"

◎ 左页图　霞光万道塞罕坝 / 李术凡　摄

© 塞罕塔风光 / 柴志 摄

地球卫士

第一单元

1949年中华人民共和国成立后，我国各项事业蓬勃发展，林业进入了一个全新的发展时期。党和政府看到各地破坏林木的严重程度，清醒地认识到生态环境脆弱的状况，采取各种措施着力解决森林保护的问题，在全国建设了四千二百多个国营林场，塞罕坝机械林场就是其中之一。

古文献上的记载，还有天然落叶松残根和"一棵松"的发现，为这片土地可以种树提供了证据。

自然地理条件和现实优势，让塞罕坝最终成了建设大型林场的选址地。

中华人民共和国首任林垦部部长梁希先生倡导人们："无山不绿，有水皆清，四时花香，万壑鸟鸣。替河山装成锦绣，把国土绘成丹青。新中国的林人，同时也是新中国的艺人。"虽然当时人们还没有充分的生态修复的意识，不过塞罕坝人以生物修复为基础的造林工程开启了自然环境修复最初的实践。

1962年2月14日，隶属国家林业部的塞罕坝机械林场正式组建，由此开始，塞罕坝得以重生。林场建设的初衷是绿化国土、植树造林，改善华北地区日益恶化的

◎ 右页图　塞罕坝机械林场办公区／黄志坤　摄

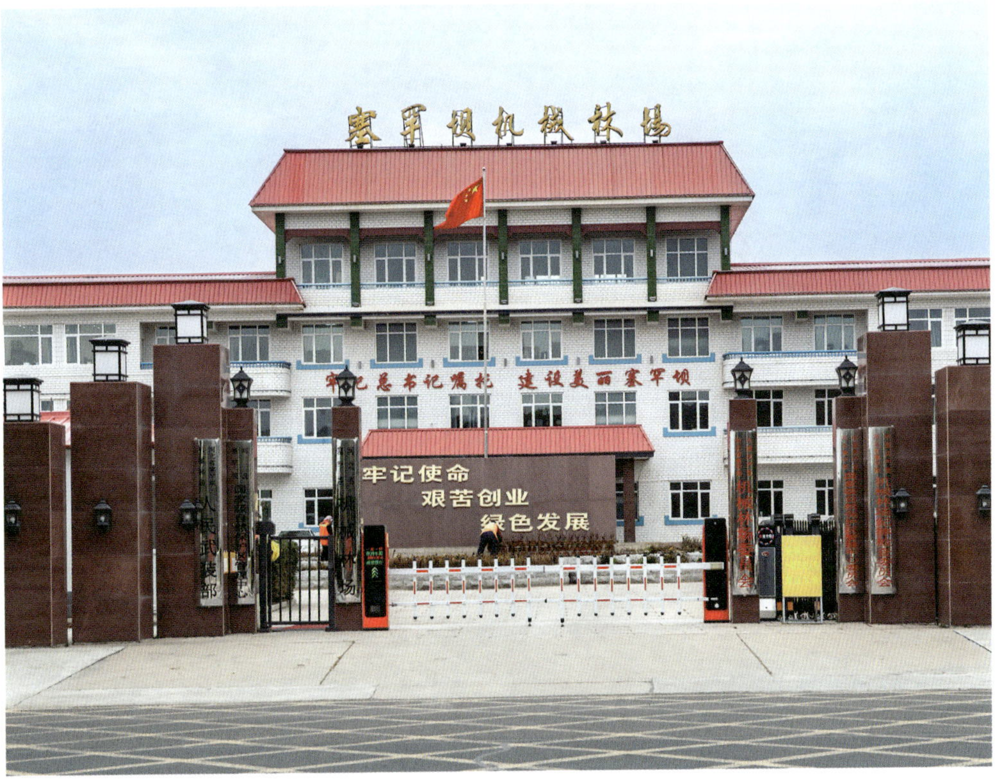
塞罕坝机械林场
牢记总书记嘱托 建设美丽塞罕坝
牢记使命
艰苦创业
绿色发展

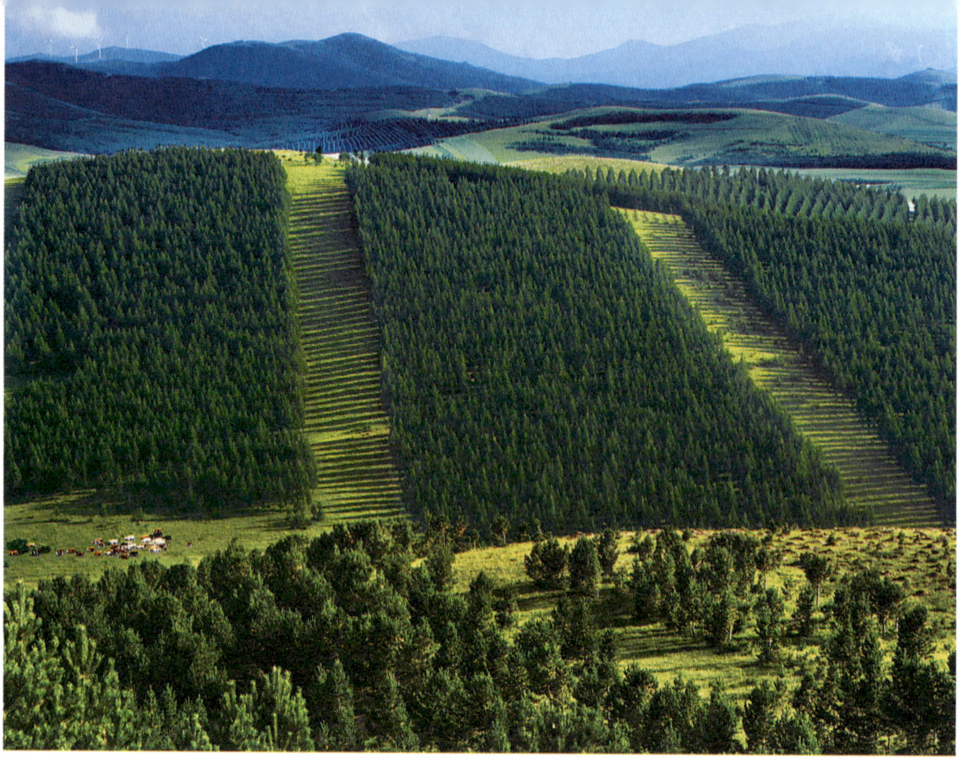

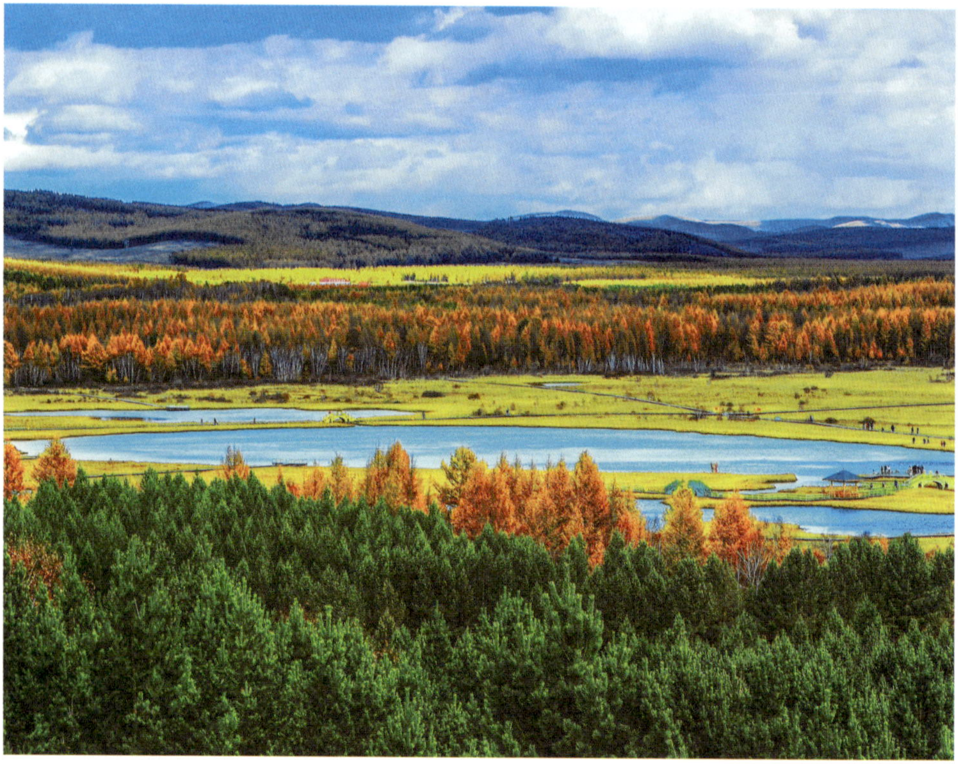

◎ 左页上图　塞北林场／刘建中　摄
◎ 左页下图　湖伴林海游人醉／郎凤玉　摄

生态环境。

按照当时林业部提出的在首都北京上风口坝上地区筹划建设百万亩规模防护和用材基地的设想，塞罕坝人一步一个脚印地落实造林营林方案。从那一刻开始，三代塞罕坝人披荆斩棘，一代接着一代干，用一个甲子的时间在祖国北疆营建起了一道巍峨的绿色长城。

从塞罕塔下来一路向北，在经过烟子窑防火检查站时，人们要接受例行的防火检查。着装整齐的检查人员一丝不苟地向游客讲述严峻的防火形势，人们深深地明白这上百万亩森林的保护难度。建场六十多年来这里没有发生过一起火灾，这要归功于几乎严苛的防范措施。

塞罕坝的发展体现出的是一个时代的奉献精神。

经过几万亩、几万亩的累加，今天它已经成了享誉海内外的大型林场。有人曾经计算，它的林木总数如果按照株距一米计算的话，可以绕地球赤道十二圈。你能想象得出那是一种怎样的存在吗？当你站在高高的"亮兵台"上，面对万顷林海，定会激情澎湃，心间突地涌出"功莫大焉"的深情感叹。

◎ 上图　金色的塞罕坝森林／姜宝　摄
◎ 右页图　阳光透过塞罕坝森林／孙奇武　摄

2. 绿色畅想

　　今天的塞罕坝山青水绿，鸟语花香，可多少人知道它曾经的荒凉冷落？当年的塞罕坝可不是和风细雨的地方，更不是风平浪静的地方，这里更多的是风冷人横，是直面艰难的打拼和斗争。"革命不是请客吃饭，不是做文章，不是绘画绣花"在这里体现得淋漓尽致。

　　荒漠变成绿洲容易吗？小小的树苗长成参天大树容易吗？为有牺牲多壮志，敢教日月换新天。平凡创造传奇需要真刀真枪，改天换地要靠流血流汗。

"一日三餐有味无味无所谓　爬冰卧雪冷乎冻乎不在乎"——横批是"乐在其中"。这副当年贴在创业者地窨子门框上的对联，展示的是塞罕坝人战天斗地的乐观主义精神。正是这种精神的支撑，塞罕坝林场出现过雪中冻伤双腿导致截肢的护林员孟继芝，有为油松上坝科研攻关积劳成疾最终献出生命的曹国刚，有在改造植苗机过程中表现出独特才艺的大学生任仲元，有正确对待不公正待遇而顽强生存，被誉为坝上"劲松"的石怀义以及塞罕坝"铁人"曾祥谦等一大批能吃苦、有韧性的人。

◎ 右图　塞罕坝风景美如画／郎凤玉　摄

　　塞罕坝人不光有苦难和辛酸，也有友爱和互助，有人情味儿十足的家长里短，有被塞罕坝林场子弟常说常新的孩子们的趣事，有熏獾子和捕鱼虾的快乐。

　　爱情在塞罕坝也不是稀缺品，它是那样丰富多彩，留下了不少佳话趣事。仅1962年从东北林学院分配到塞罕坝机械林场的大学生就有六对喜结良缘，他们的爱情之花与塞罕坝的绿化事业共同开放，美好的身影永远地留存在了这片绿色的高原。

　　辽阔的大草原，满地的小花小草，同学们席地而坐，一曲悠扬的《革命者永远是年轻》歌曲响起，穿着吊带裤的男生跃跃欲试，穿着布拉吉的女生应邀起舞，那是多么惬意的夜晚啊！傍晚的大草原上，同学们唱歌跳舞，吹拉弹唱。你给我采一束鲜花，我送给你一个飞吻，直教人羡慕

第一单元　地球卫士

草木葱郁 016

◎ 左页上图　河北坝上草原／崔振远　摄
◎ 左页下图　春天的塞罕坝／郎凤玉　摄

得脸红啊。节假日里，他们常常结伴到白桦林间，欣赏多彩的奇花异卉。那是坝上一对对伉俪最美好的时光。

　　同样让人羡慕的还有坝上的孩子们，他们小小年纪就懂得照顾生活困难的家，桦树从山里被运到木材厂时，他们会跑过去扒桦皮，供父母烧火做饭。他们跟着父辈上山打猎，去泡子里抓鱼。平日里男孩子玩撞拐游戏、弹玻璃球、滑冰，女孩子们跳格子、踢毽子。

坝上孩子最大的特点是打小儿就通晓木性，明白用斧子劈柴的门道。

　　放假了，他们参加林场组织的劳动时，无论选苗儿还是造林，都做得有模有样，个个是家长的好帮手。

　　开春时，塞罕坝职工住宅区小巷里冰雪刚刚开化，街道泥泞不堪，那时候的塞罕坝职工住宅区很破旧，猪和鸡鸭散养，它们不怕人，哼哼唧唧，大摇大摆，有的干脆在低洼路面的泥水里打圈、翻身，把附近弄得稀巴烂。

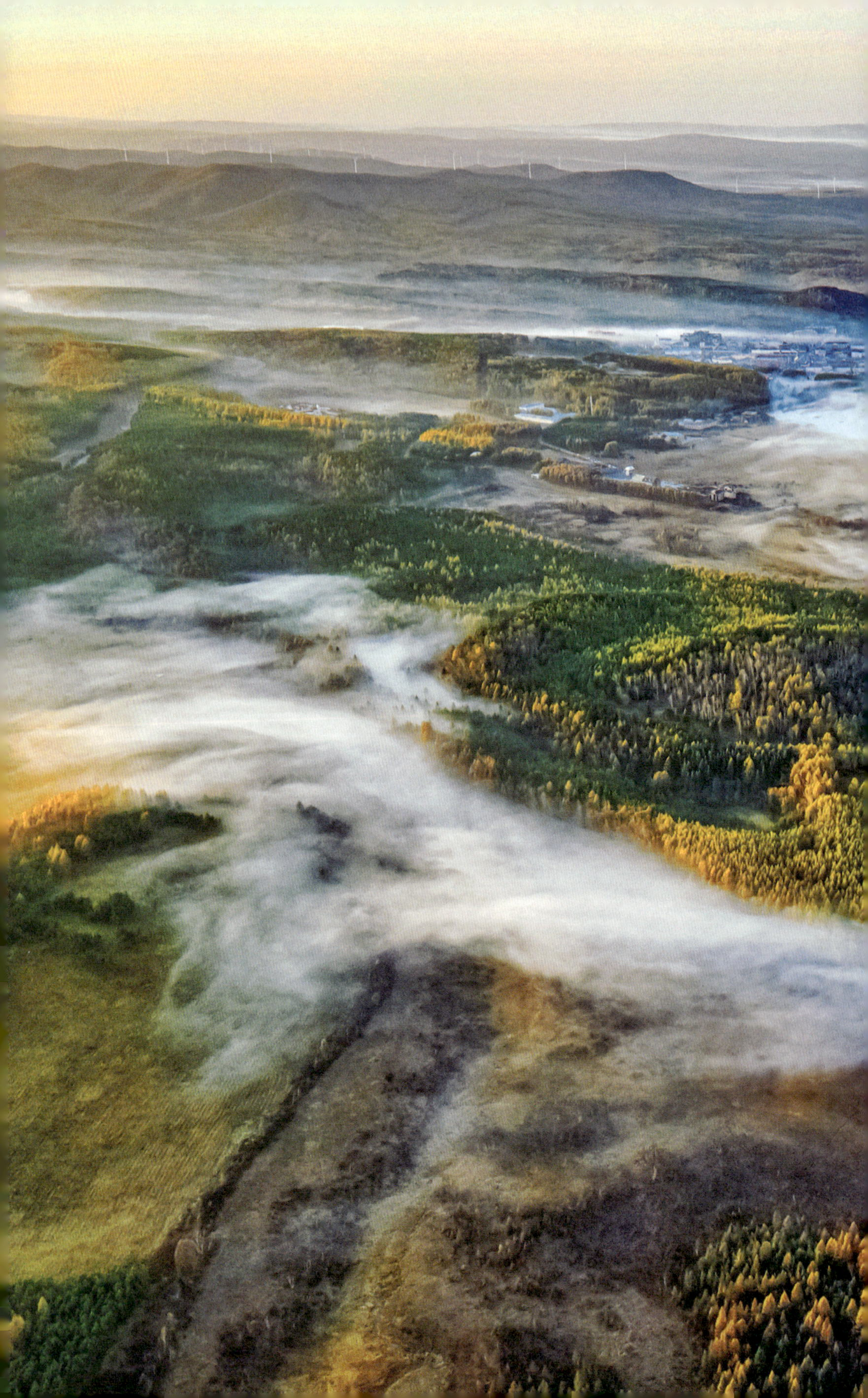

© 塞罕坝晨光／崔重辉 摄

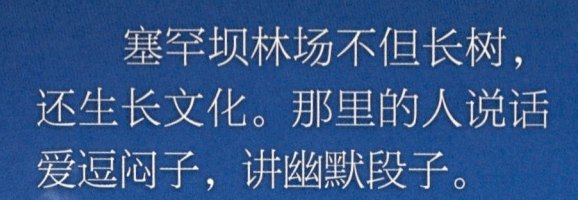

塞罕坝林场不但长树，还生长文化。那里的人说话爱逗闷子，讲幽默段子。

在野外造林集体居住和劳作时，人们经常讲"哨谱儿"。——啥是哨谱儿？说白了就是打嘴仗，用互相贬损的语言逗笑儿。在那个"交通基本靠走，治安基本靠狗，通信基本靠吼"的高寒冻土荒原上，那个缺乏娱乐活动的年代里，林场职工结合木兰围场特有的民俗文化创造了颇具特色的哨谱儿，丰富了人们的文化生活，它成了那个年代塞罕坝人交流情感的润滑剂，成了务林人精神世界里一道独特的风景。

◎ 塞罕坝国家森林公园／薛志军　摄

地球卫士

第一单元

塞罕坝九座望火楼都建在大面积森林的最高处,它们被称作"大森林的眼睛"。

　　本来是防火瞭望哨,可塞罕坝人却要标新立异,按着"林海"的意思在墙上写下望海楼。开始人们有点儿纳闷儿,后来明白了,大山里的人太盼望见到大海了。

　　站在远处长久地观望着矗立在山顶上的望火楼,望着、望着,一个念头在心里油然而生:它们多像森林里的"感叹号"啊!一座座防火小楼日日夜夜地呼唤和警示人们:防火、防火、防火!

◎ 右页上图　望海楼／视觉中国　供图
◎ 右页下图　远眺望海楼／李术凡　摄

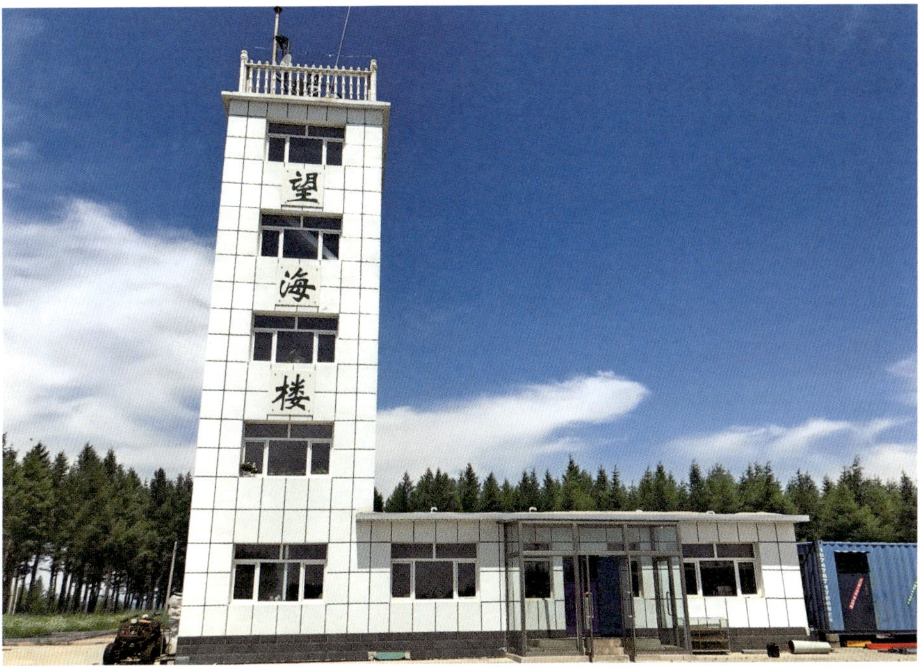
望
海
楼

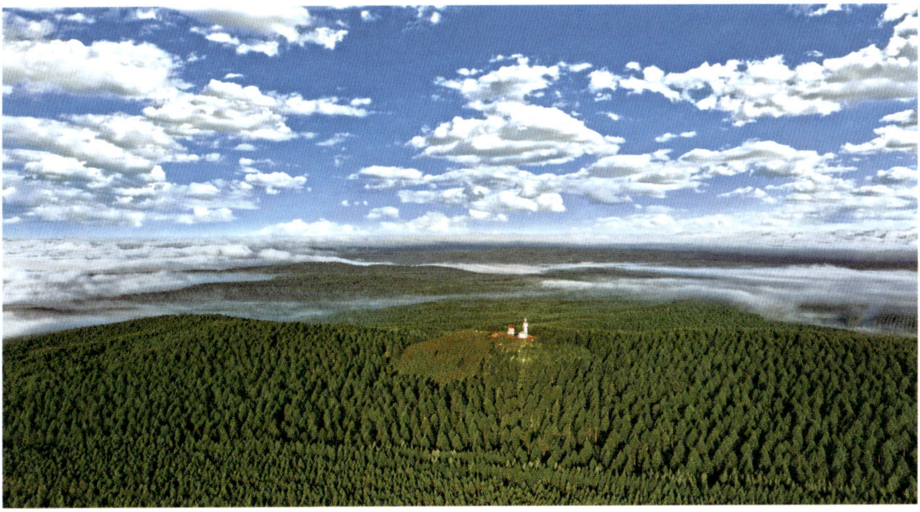

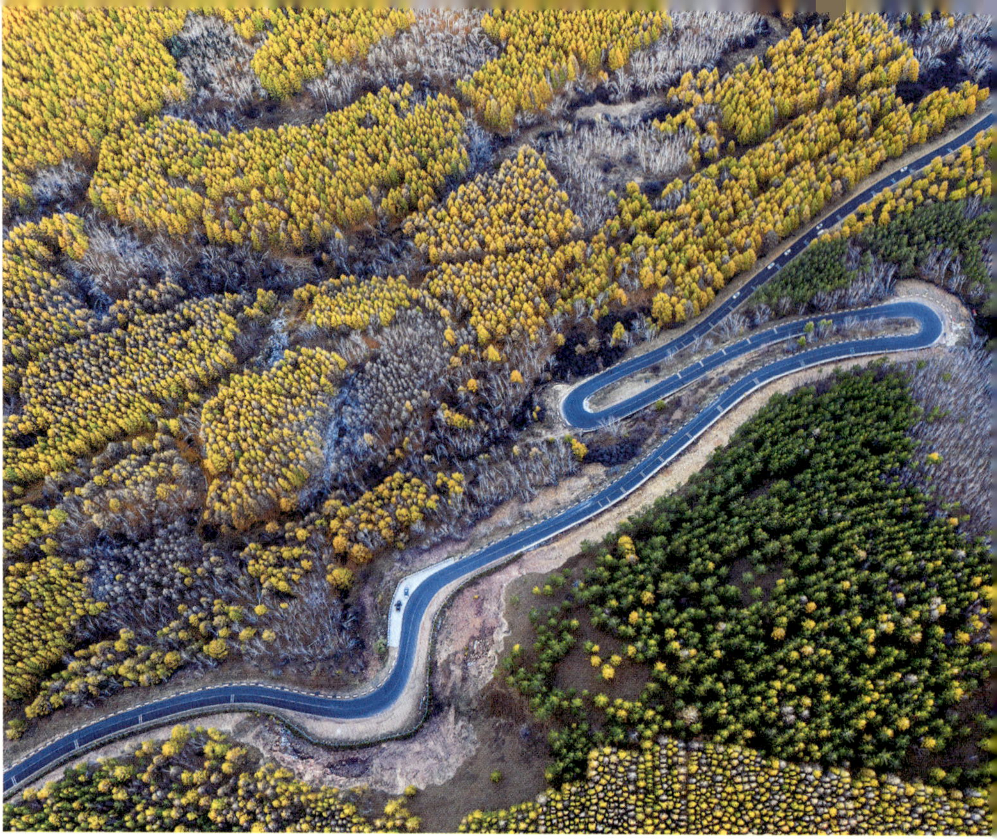

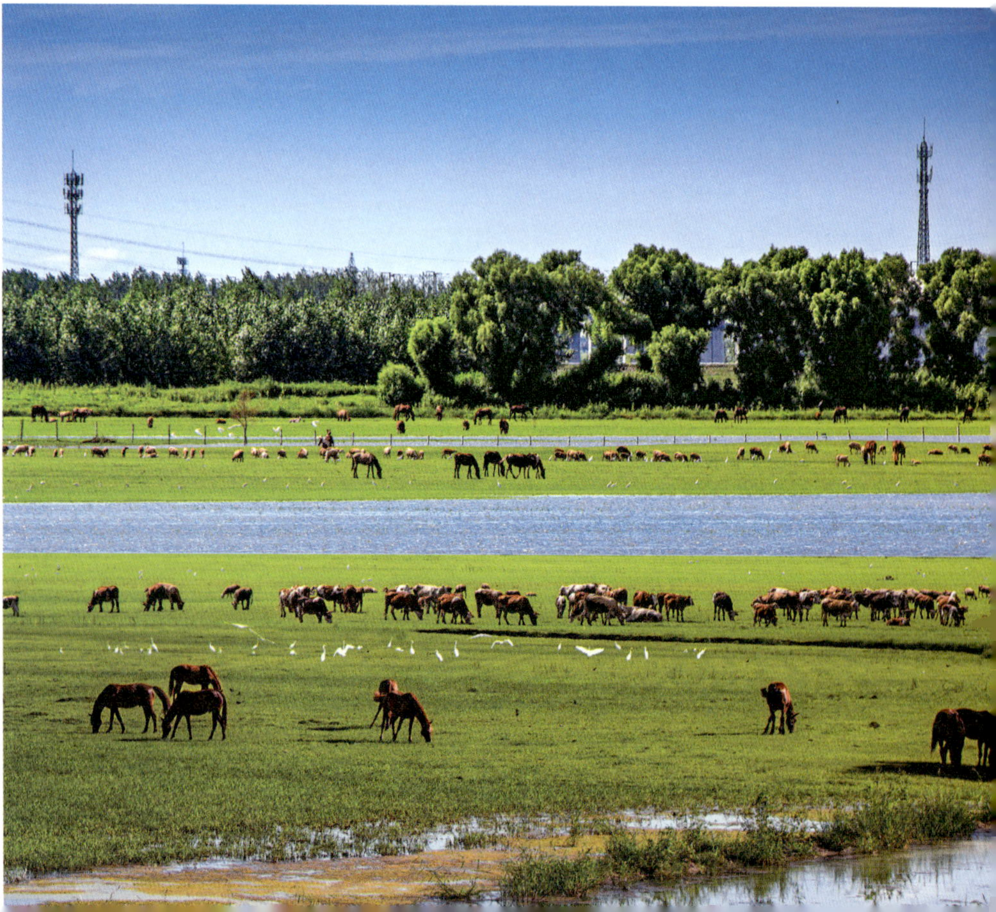

贰 >> 创造绿色奇迹

1. 客从远方来

人们来塞罕坝，从前走一条线，现在可以走另外一条线，每次都有"车在林中行，人在画中游"的感触。

这里的司机善解人意，驱车途中总是打开车载音响播放蒙古族民歌和歌唱草原的歌曲，《我从草原来》《美丽的草原我的家》……颠簸的土路上，激情的旋律让人神采飞扬。一边跟着节拍哼唱，一边轻轻地拍打着车扶手，激动的心情难以言表。

◎ 左页上图　俯瞰塞罕坝／林树国　摄
◎ 左页下图　塞罕坝牧歌／宋建萍　摄

置身塞罕坝的松涛里，好似聆听塞罕坝人讲述过去的事情。

当地民谣说："一年一场风，从春刮到冬。"创业之初的人们"天当房，地当床，草滩窝子做工房"。第一代创业者在那种本不适合人类居住的地方定居下来，而且每天从事着繁重的体力劳动。

"还我森林"，一心种树，是他们坚守的初心。

渴饮河沟水，饥食黑莜面。白天忙作业，夜宿草窝边。劲风扬飞沙，严霜镶被边。雨雪来查铺，鸟兽绕我眠。老天虽无情，也怕铁打汉。满山栽上树，看你变不变。——那时候的创业者多么无私，又多么豪迈！

徜徉在塞罕坝的崇山峻岭，回想塞罕坝人一路走来跌宕起伏的命运，人们真切地感受到了什么叫艰苦奋斗和无私奉献。

从林业部副部长刘琨上坝考察选址，到最后国家计委批复建场，从林场上马到规划造林，三代务林人牢记使命，一代接着一代干，持之以恒，久久为功的事迹全都写在了这片大山上。

◎ 右页图　寒冷的塞罕坝／林树国　摄

第一单元 地球卫士 027

◎ 公路旁的风景 / 韩宏亮　摄

029

地球卫士

第一单元

2. 最美的休憩地

　　七星湖宛如碧绿草原上的蓝色琥珀。进入湖区瞭望四野，青山如黛，天际苍茫。蓝天白云和岸边的景物倒映在湖水中，风吹影动，简直就是一幅魔幻的图画！游人熙熙攘攘，欢声笑语，白色的游船游弋在绿得发蓝的湖水里。悠然地站在木栈桥上俯视湖水，一群小鱼儿正在水里摇头摆尾。仰望天空水鸟飞翔，它们不时地在草地和湖水间起落，偶尔发出轻轻的鸣叫声。

◎ 左页图　七星湖公园／王福利　摄
◎ 上图　水天一色七星湖／韩涧峰　摄

这里全名为"七星湖假鼠草湿地公园",最大的特色是高原湿地。

它由大小不等的水泡子组成,因形状像北斗七星而得名。清凉的风,满眼的绿,安详的环境让人想到了"偷得浮生半日闲"的话。看看周遭的山水,大有一种天上人间、人间天上的幻觉。远处太阳要落山了,潋滟的湖水散射出耀眼的光晕,有些野鸭子飞到近处,大部分都静静地浮在稍远的水面上,它们睡着了吗?应该是吧,这里没有猎枪,没有毒害它们的诱饵,没有任何威胁。

草木葱郁 032

七星湖日出 / 李术凡 摄

◎ 右页上图　光影坝上／卢火青　摄
◎ 右页下图　塞罕坝初冬／赵海洋　摄

今天，塞罕坝林场已经建成我国北方最大的森林公园。无疑，它四季变化，处处风景，无论何时何地都能给人美的享受。行走间动态的风光，停下来固定的景色，看看哪儿都感觉新鲜。

按季节说，冬春两季一直被白雪覆盖，静寂的森林里偶尔树挂如花，洁白似玉，满眼都是童话的世界。

夏天虽然短暂，却是一年里生物能量最集中的勃发期，山花、野草、树木、菌类，甚至地衣在做了大半年漫长的积累后一下子蓬勃生长，速度快得惊人。一缕缕红彤彤的阳光照耀林间，林下明暗斑驳。树干投影到草地上，草地就被分割成了一条条的图形了。柔和的光

035 地球卫士 第一单元

草木葱郁 036

芒，绿茵茵的草地，紫气氤氲。山花因为阳光的投射慢慢张开花瓣，草茎因为阳光的投射不停地挺起身躯。蘑菇因为温暖拱出草丛，探头探脑地摇晃小伞一般的身子。偶尔看到小兽慌急地奔走，山鸟被惊动时叫着飞向山林深处的掠影，花间飞舞的蝴蝶、蜜蜂，还有清凌凌的小溪、高耸的岩壁，哪儿不会让你停下脚步呢？

秋天是塞罕坝最美的季节，大雁南飞，美景如画。

站在空旷的草地上看雁阵，它们"一会儿排成个人字，一会儿排成个一字"，心中哼唱《雁南飞》的曲子，思绪会立即飞向南国。塞罕坝百万亩森林已经成了横亘在北京以北的一道绿色长城，阻挡着来自西伯利亚的寒流和来自北部的漠漠黄沙。

◎ 左页图　雪林狐影／吉家慧　摄

"绿宝石"的赞誉，生态文明建设范例的命名，是三代务林人披荆斩棘一路打拼的胜利战果，它开创了高寒地区独具特色的人工林生态系统，为世人创造出了一个美丽的休憩之地。

地球卫士 039 第一单元

◎ 上图　草原夕照 / 卢火青　摄
◎ 下图　康熙点将台 / 王彩红　摄

扫码听书

扫码看视频

第二单元

草木植成

草木葱郁

壹 >> 大自然告诉我们

1. 一个靠烧荒图存的王朝

进入承德丰宁县和张家口沽源县后，流连在稀树草原上遥望广袤的草地、成群的牛羊，那种天穹压髻、云欲擦肩的感觉实在惬意。

河北既有古称督亢的膏腴之地，也有贫瘠的坝上高原。

历史上曾经森林繁茂、景色秀丽。但是被一次次蚕食后，这片土地上的原始森林损毁殆尽。

战国末期，农垦、修筑、战乱等加速了平原原始森林的消亡，河北平原的原始森林此时大部分被砍光，剩下的是被砍伐后萌生的天然次生林。太行山、燕山及恒山山脉的原始森林被破坏稍晚一些，不过到明代也被砍伐殆尽，幸存的林子多为天然次生林。

◎ 坝上风景/卢云成 摄

草木葱郁

尤其让人气愤的是明朝，他们在边塞地区烧荒的行径，曾经长久地给长城一线的森林造成毁灭性破坏。据历史记载，明朝时期，为了有效阻止游牧民族掠夺，驻守在北方的边防军秋冬季节屡屡在长城以北的地方纵火烧荒。

自然，这样做的目的是坚壁清野，最重要的还在于方便瞭望敌情。防御的目的达到了，从根本上断绝了游牧民族马群草料的供给，抑制了他们南下的步伐，算得上对付游牧民族进犯的有效举措。因为有效，它一度上升到了国策的高度。

森林的生长特点和草原不同，一旦遭毁坏很难恢复。再加上当时沿边采伐林木活动不绝，两者交互作用加速了长城内外大面积土地生态环境衰败。多少年过去了，原本郁郁葱葱的森林不见了踪影，成片的土地变成了荒山秃岭，甚至演变成了裸露的沙地。

◎ 左上左图　坝上草原一湾秀色／卢云成　摄
◎ 左上右图　漫游坝上花海／卢云成　摄
◎ 左下图　塞罕坝夕阳下的牧羊人／范升　摄

用毁坏草木的办法御敌以自保，今天看来多么可笑！怪不得清朝皇帝入关后并不肯定长城的防御功能。康熙有诗曰："万里经营到海涯，纷纷调发逐浮夸，当时费尽生民力，天下何曾属尔家。"康熙看重的不是砖石长城，而是血肉长城；不是有形之长城，而是无形之长城。他们开辟木兰围场，其实正是通过它构筑了另外一种形式的长城。

不管怎么说，明朝在长城以外的草原上烧荒毁掉了数不清的森林，毁灭了不知道多少动物的家园。明朝烧荒那段不光彩的历史已经过去。

被烧光的森林和草原经过几百年的自然修复已经形成了新的生态环境。

新中国成立后，面对长期战争造成的林木凋敝、泛滥成灾的水土流失，还有持续不断的沙尘暴，党和国家领导人开始高度重视植树造林，加强了生态环境保护的力度。自此，这一带生态环境的破坏趋势才得到了一定程度的扭转。

◎ 右页图　林区牧场／宋建萍　摄

草木植成 047 第二单元

草木葱郁 048

2. 珍视幸存者

纵观我国漫长的毁林历史,不光长城一线的森林草原遭遇了长期破坏,而且整个华北平原的生态环境都受到了祸害。不过也有例外存在,譬如幸存下来的古树。

> 它们经历了多少兵燹天灾,遭遇过多少自然灾害,却顽强地幸存下来。

现在,林业专家称它们是"活着的文物",作为草木里的幸存者,一棵唐槐或一株银杏树,为什么没有被砍伐而活了下来?这个问题谈论起来不知道有多复杂,自然也就不时引起人们的追问。

古树之所以幸存,大部分是因为它们生长在寺庙附近,人们敬畏神灵或害怕鬼神的心理使它们免遭伤害,一些地方的古树甚至被人认作救苦救难的菩萨,虔诚地在它的枝条上悬挂祈福的红绸布,年年烧香祈愿,这难道不是歪打正着地庇护了古树名木吗?

作为中华文明的发祥地之一,"燕赵之地"早已成为河北省的代称。在久远的历史长河中,河北为我们中华民族留下了丰富多彩的宝贵遗产,其中就包含了隐藏在深山古庙里的各种古树。

◎ 左页图 银杏树/视觉中国 供图

◎ 右页图　青松挺秀 / 樊高瑞　摄

　　定州市的"东坡槐",据说是宋代大文豪苏东坡亲手栽植的。走近它,久久地站在树冠下面,肃穆的氛围让人浮想联翩,让人体会他那"大江东去"的豪气,借此凭吊历朝历代的"风流人物",一时间热血沸腾。而回到现实,在悲怆的情感里油然升起"还看今朝"的豪迈感,因而更加振奋精神,产生投入新的更富挑战的生活里去的冲动。

临漳县有一棵被唤作邺都古柏的老树,传说东汉末年曹操曾经在它的树干上拴过马。

　　今人推测它已经一千八百多岁了。这样判断,它应该见证过东汉以降冷兵器时代一代代枭雄逐鹿中原的勇猛和血腥,还有曹操那"慨当以慷,忧思难忘"的激昂慷慨。

　　保定曲阳县孝墓乡有几棵古柏,据《曲阳县志》记载是唐朝的遗物。唐朝孝子张务朝为母守孝三年的事迹曾经感动当地的村民,人们敬仰他,为他树碑立传。当时栽植的树苗如今已经蓊郁粗壮,树龄达千年。今天的人们之所以依旧珍视这些树,是因为它记录着张务朝尽孝道的事迹。

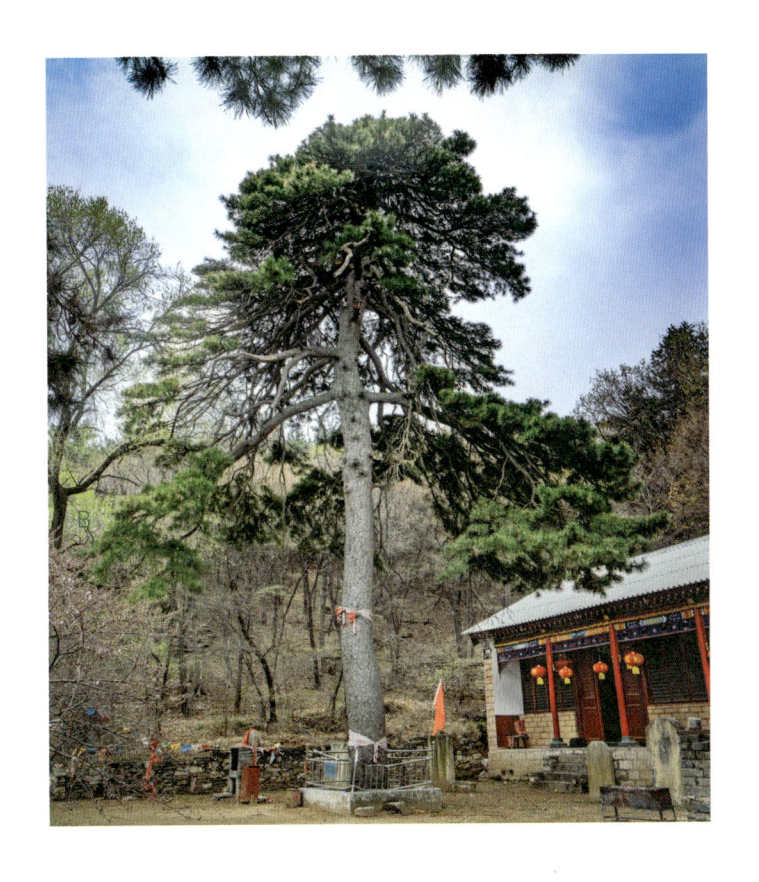

迁安市蔡园镇马官营村的银杏古树在蓝天的映照下显得郁郁葱葱。附近的村民将其根部垒砌了半米高的树台，树冠间还挂满了祈福的红色布条儿。这株古银杏树高二十六米，树冠半径十五米。专家推算树龄大约二千六百年。今天它依旧挺拔葱郁。每逢传统节日，树下总是有人虔诚祈福，庄严肃穆。

草木葱郁 052

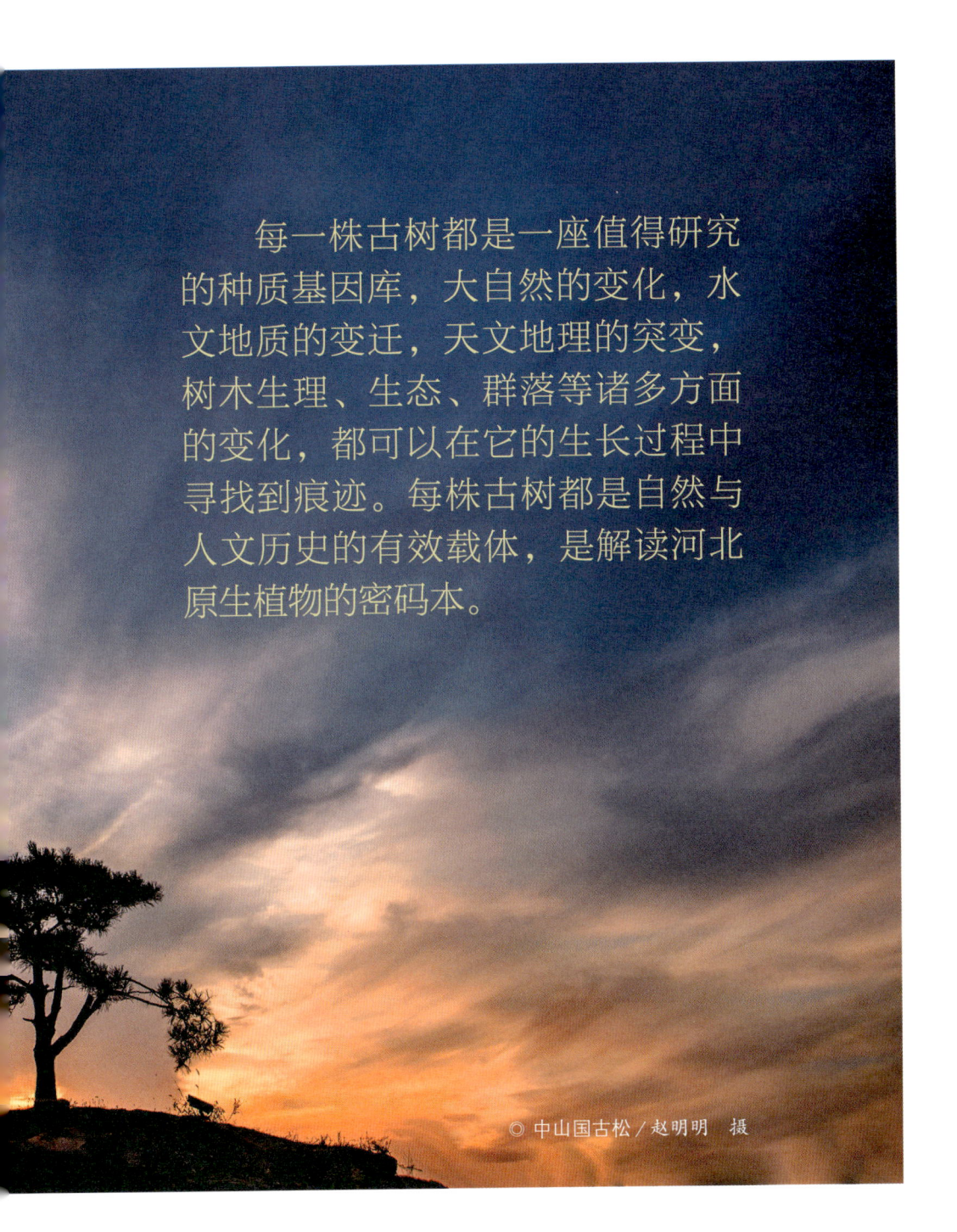

每一株古树都是一座值得研究的种质基因库，大自然的变化，水文地质的变迁，天文地理的突变，树木生理、生态、群落等诸多方面的变化，都可以在它的生长过程中寻找到痕迹。每株古树都是自然与人文历史的有效载体，是解读河北原生植物的密码本。

◎ 中山国古松／赵明明　摄

草木葱郁

3. 苍岩檀的表情

苍岩山悬空寺下的山沟里仍保存着满沟的青檀。这里的古檀最大的特点是树根都裸露在地面上。它们龙盘虬结，蜿蜒曲折。有的抱着石头，有的钻进石缝儿，千奇百怪，栩栩如生。

寻常的树根都长在地下，苍岩山里的青檀却不是。

它们的树干与树根的分界不在地面，而是高出地面一大截儿。换句话说，就是它们树根的一部分成了最下面的树干。仔细看过去，它们生长得是那样奇特，一副要挣扎着站起，在那里腾挪拉伸的模样。树干和树冠简直就是被那些树根举起来的，充满了顽强的表情。

按理说，树木在天地之间是站立的，这里的古檀却匍匐着，展现出要努力站起来的姿态。它们的树根用自己的躯体高擎着一蓬蓬葱茏的绿。

太行山地总体贫瘠，水土流失导致树木生长缺乏足够的营养。这样的时候，苍岩檀的树根便依托着大地，如龙

◎ 左页图　俯瞰苍岩山／视觉中国　供图

◎ 苍岩山远景 / 王保龙 摄

第二单元　草木植成

似蛇般地向远处"爬"去。它们寻找得以活命的厚土和水源，整个树根由粗到细向外铺陈，组成的是一个树根繁盛的"家族"，以此获得支撑的力量。

抬头看树冠，低头瞧树根，会让人想到锻炼臂力的哑铃。它一头儿是树冠，一头儿是树根。伸向天空多么大的树冠，地底就有多么铺陈的树根，淋漓尽致地诠释着生的欲望和长的信念。

苍岩檀活得艰难，因此有人调侃"苍岩山的青檀不成材"。

土壤缺乏营养，雨水少得可怜，基础又是乱石。在这样的外部环境下，它们是一群弱势群体，但它们却不畏惧气候干旱和土地瘠薄，总是以抗争的姿态适应环境，以不屈的毅力展示着勃勃生机。从这样的角度分析，它们又是森林大家族中的强者。

苍岩山那满山的青檀树，传达着刚毅顽强的品性，在恶劣的环境下抗争图存，显示出的是身处逆境而又顽强抗争的性格。

◎ 右页上图　苍岩山青檀／视觉中国　供图
◎ 右页下图　林木覆盖的苍岩山／视觉中国　供图

草木植成　第二单元　059

草木葱郁

把青檀看作燕赵大地上古树名木的代表是不为过的，它们古老且绵绵瓜瓞，如同这一片热土上生生不息的普通人。

4. 牲畜不爱吃的草

丰宁大滩镇四岔口村东的草地上长着一墩一墩的芨芨草，表现出极强大的生命力。它们每一墩都一米多高，左一棵右一棵分布在干旱的荒原上。其间偶见狼毒花，虽然色彩鲜艳，却是草原退化的标志植物。见到它，意味着草原不再健康，正在走向衰败。

芨芨草为禾本科芨芨草属植物，根系强大，耐旱、耐盐碱。

在一些典型地块，芨芨草群落繁殖迅速，影响草原生产力和水源涵养等生态功能的正常发挥。芨芨草不是优质牧草，它适口性差，牲畜基本不吃。不过芨芨草繁殖力强，它的繁茂反映出这里的地块盐碱程度在扩大。更为重要的是单一草种过于强势，不利于草地的生物多样性发展。

◎ 左页图　芨芨草／视觉中国　供图

◎ 右页上图　坝上青山／段双群　摄
◎ 右页下图　山青水绿的坝上草原／迟国正　摄

由于过度放牧等原因，张家口和承德坝上地区的天然草地都有不同程度的退化。生产与生态功能配置失调，畜牧业产值与草地资源不匹配是目前天然草地面临的主要问题。以前治理芨芨草的主要手段是挖掘，一挖一大片，不仅破坏地表土壤而且很难根除。目前的办法是使用机械设备，紧贴地面刈割，结合定点施药等方法灭茬，平整土地后迅速补播种植燕麦等饲草。

河北坝上草原地理上属于内蒙古高原向华北平原的过渡地带，是重要的生态屏障区、典型的农牧交错区和贫困人口集中区。

这里既是京津冀地区多条内流河的发源地，上游地段也是西北风沙南侵的必经之地和潜在的风沙源。特殊的地理位置和草地资源禀赋决定了河北坝上草原在京津冀地区担负着防风固沙、保持水土、涵养水源、调节气候、维护生物多样性等方面的重要生态责任。

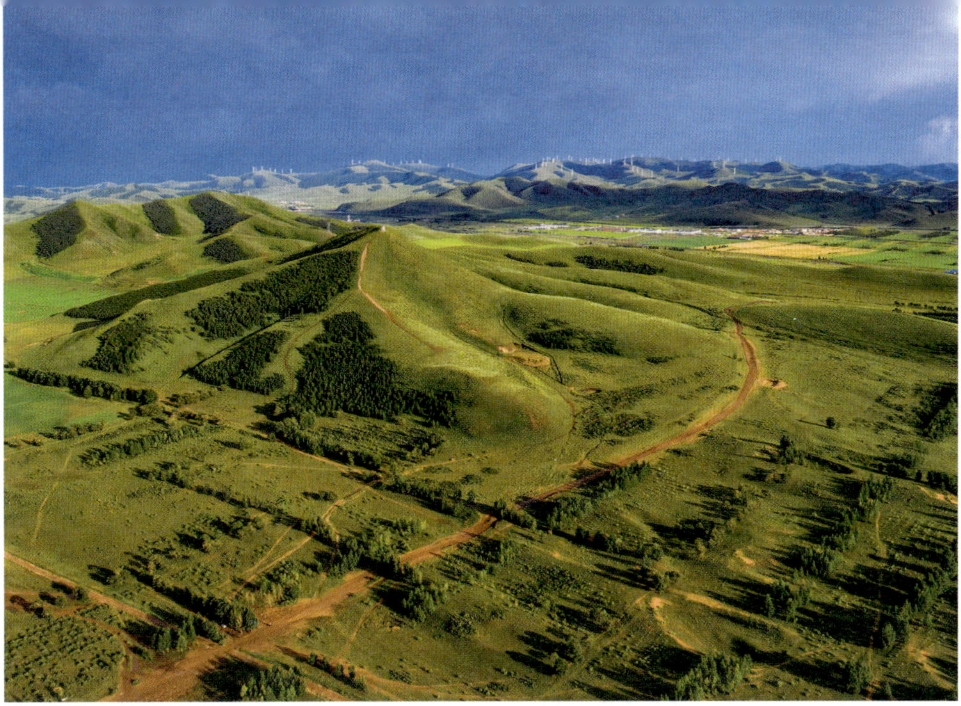

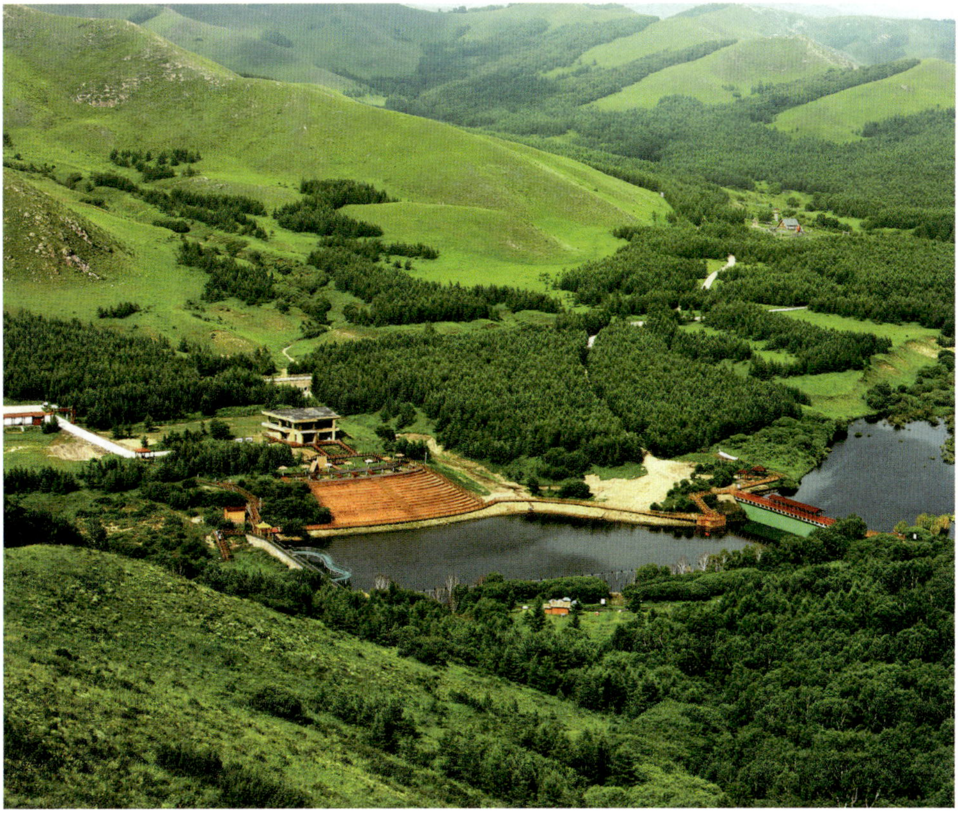

草木葱郁 064

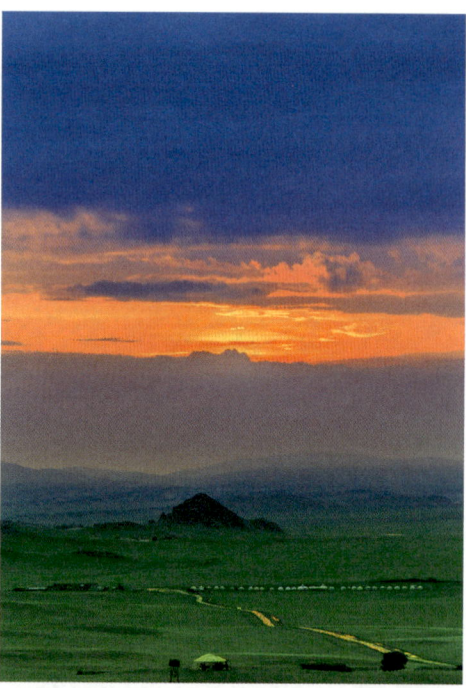

天然草地系统对当地的土壤、气候、生态等微生态平衡更有意义。草在生态系统中具有不可替代的重要作用。植物群落的演替规律一般是先有草才有灌木、再有乔木，致密的草能防止水土流失，为灌木、乔木的生长创造条件，草是先锋植物。

水草具有净化水体的功能。

　　水稻、小麦、玉米等粮食作物及饲用植物也是由草演化而来。草与人类、动植物休戚相关。虽然都是为了建设好的生态，但是生态保护中重林轻草的倾向一直存在。

◎ 左页上左图　美丽的草原／视觉中国　供图
◎ 左页上右图　草原彩霞／视觉中国　供图
◎ 左页下图　草原生灵／卢火青　摄

贰 >> 再造秀美山川

1. 绿色回馈

"围山转"是燕山东段、唐山北部山区老百姓的通俗说法，是指以一座山或一面坡为单元，在适宜造林的缓坡上，依山就势地在高程三米左右的等高线上开挖水平沟，回填后呈现"外噘嘴儿，里兜水儿"的环山水平梯田，畦面上种植以板栗为主的果树，在果树未长大前，间种矮秆

粮油作物，在土埂下种植紫穗槐等植物护坡。如此一来，一个"松槐戴帽，板栗缠腰，山脚瓜果梨桃的林粮间作和乔灌草互促，长中短效益结合"的立体生态体系就形成了。这个体系不仅解决了北方干旱山区涵养水源的问题，更能促进老百姓增加林果收入。

◎ 燕山山脉的雾灵山／视觉中国　供图

草木葱郁 068

◎ 半山梯田半山画／吉久利 摄

草木植成 第二单元

"围山转"造林模式使板栗树的成活率大为提高,也为燕山东段的迁西等地山区打下了良好的生态基础。9月中旬,迁西县的山村里到处是打板栗的热闹场面。山道上,栗林间,村民倾巢而出,举着木杆在树下敲打后,人们把没开壳的装进柴篓,把开壳的装进口袋,收获的场面其乐融融。

冀东的板栗树栽培历史悠久,如今还保留着大量古板栗树。萝卜园村有一个集中的板栗群,柳河北山村更有被人誉为板栗王的古栗树。板栗果实被栗苞包裹,栗苞表

皮生满尖刺，成熟后栗苞开裂，每个栗苞里包裹两三枚栗果。成熟的板栗会自己从栗苞中脱落而出，村民把它们当作摇钱树，每有落果就会及时收取。栗苞是一种非常好的烧柴，落地后的栗苞也会被收集起来。正常年景一棵成年栗树可以产出几十公斤的板栗。这对于冀东山区的农家来说是一笔不小的收入。

板栗是河北的原生树种，又分为燕山板栗和太行山板栗。对应到具体县区，遵化、迁西、迁安、宽城、卢龙等地集中出产燕山板栗，而太行山板栗主要产自邢台山区。

◎ 下图　梯田映碧空／苏丽荣　摄

迁西板栗以"燕山早丰"优种为主，品质极好，适合糖炒，因此更受糖炒商家的青睐，知名度很高。相比之下承德宽城板栗成熟期要比迁西晚十天左右。品种以"大板红""燕金""燕宽"等为主。这些品种耐腐性更好，糖分和其他营养物质含量更高，比较适合深加工和出口。

冀东地区的板栗之所以品质优于其他地区，一个重要原因是它含铁量高，与集中产区铁矿资源丰富有关。

含铁丰富的土壤适合板栗生长，吃起来风味独特。从地理条件来看，冀东的迁西、遵化、卢龙等地地处燕山东段，与其他的板栗产地相比气候更为寒凉，昼夜温差更大，更有利于营养物质的积累。

◎ 右页图　板栗树/视觉中国　供图

草木植成 073 第二单元

草木葱郁

◎ 左图　栗蘑/视觉中国　供图

　　靠山吃山。如今，人们开始用更加科学的方式向山野谋求收益。迁西县汉儿庄村是板栗的集中产地，农民在"围山转"的山坡上栽植了成片的板栗树，每棵板栗树下都有一排用遮阴网盖着的小棚子，轻轻揭开，一朵朵硕大的栗蘑呈现在眼前。这是一种循环种养新模式：青草回填积肥、山场散养柴鸡、树下套种栗蘑。这种新模式是在中国农科院和中国农业大学的专家指导下探索成功的。

新的模式让当地人把板栗这棵"摇钱树"变成了小康路上的"聚宝盆"。

◎ 上图　太行山脉／赵广林　摄

2. 大峡谷：在开发中保护

太行山是中华民族的脊梁，邢台大峡谷记录着黄巢起义的历史。来大峡谷看天看地，迎风看水，去农家闲聊半日绝对是不错的选择。虽然知道五里不同风、十里不同俗的道理，但对于山外的人来说每回都有新的收获。人们说邢台大峡谷集雄、险、奇、幽于一身，这样概括这里是不虚的。

山高刺天，天便显得低了不少。湛蓝的天，碧绿的

山，靠着山脊曲线分割。山坡上是绿树，绿树间泛着山岩的白光，或一条线，或斑驳的亮点，一片朦胧。

山峡左边的大山离天最近。山脊曲线"起笔"滞涩，山头突兀。"笔画"先往上走，山峰连体，峻峭奇崛。三座山峰，青翠满目。

之后，勾画山脊的笔端开始下行。走不多远，又猛地扬起，一个"金元宝"似的巨大山冈嵌在那里。山坡分出两层，两级平台都长着树。阳光照岩石，金黄耀眼。"金元宝"侧面的山体都向里倾斜，像"地包天"的下巴。

◎ 右页图　大峡谷掠影/冯小军　摄

再往下，崔嵬的岩石立面笔直，刀削一般，高有百丈！它的最底部与下面山坡的最高点连着。往下、再往下，曲线变成斜线，那儿，是一坡葱郁的绿树。

中部的大山重叠。刚才所见的山坡挡着后边的大山。后面的大山又掩映着再后面的大山。越来越远，越来越高，视野越来越模糊。

稍近的山脉几座山峰，阳面山坡白绿相杂，白的岩石，绿的草树。山脊线区分出阴坡和阳坡，红彤彤的阳光照耀，一边明亮，一边阴暗，山岭棱角分明。"暗地儿"一道一道，几面山坡大致平行。

稍远的山脉一字排开五座山峰，最高处的山都像窝头，五面山坡、五个褶皱，形成五段波浪线。

之后，那波浪线猛地走高，接连画出两段向上的曲线后斜下去，直到形如锅底儿的地方又回转向上、再向上，形成了一条底部朝下的抛物线。最后，那条线一直向着更远的地方延伸而去。遥望远处，那里朦胧一片。

右侧的大山，最远处显得模糊，稍远的山脉与最远的山脉基本平行，一样的走势，只是略矮些。最近的山就在眼前，山草都清楚。平视山顶，那里簇拥着几块破碎的岩石，有的直立，有的倾斜，犬牙交错。下面，长着不算茂密的灌木。

草木葱郁

◎ 远望大峡谷／冯小军　摄

草木植成
第二单元

草木葱郁

◎ 左图

邢台大峡谷／视觉中国　供图

　　山体南面是直上直下的峭壁。目光看过去，感觉山体唰地就下去了。下到半山腰出现了一个小平台，那里长满荆条和臭椿等树木。之后山岩又直上直下，一落千丈。

　　再看左边的山峰，由远及近，重峦叠嶂，前呼后拥而来。最近的一面崖壁被侵蚀沟分出五六个单元。自左至右看过去，一面悬崖，一面悬崖，又一面悬崖。单独去看某一面，横看沟槽列列，纵看岩石层层。上面树木披垂，叶片斑驳。瞅一眼，不敢过久凝视。

◎ 右页图　峡谷中的树木／冯小军　摄

沟口的山峰壁立千仞。远看浑然一体，触摸石壁，坚硬硌手。即便看似绵软的岩壁摸上去也有割手的感觉。山体之间纵向的缝隙、横向的阶梯都生长着树和草。树根扎进石壁，山风吹拂，树丫凌空抖动。看得出，这种地方的树和草生存都很艰难。

当初跟随山风来到这里投胎绝壁，有的能依托一点儿山土，有的没有丁点儿土。可不管怎样，只要落了脚便发芽生根，最后扎根岩壁的缝隙，履行着生长的使命。适应一年一度的阳光炙烤、暴风骤雨、冰天雪地，适应瘠薄的立地条件，有多大容身的世界便长多大的树冠。

环境窘迫，几乎每一棵都是"小老树"。看着不大，年岁却不小。

判断这些树的树龄不能简单地看树冠大小，也不能看树干粗细。

因为树冠是否蓊郁与它们生长的年头无关，更不代表曾经迎风斗雪的经历。

草木植成 085 第二单元

草木葱郁

◎ 左页上图　太行秋色美如画／高嵩　摄
◎ 左页下图　水墨画般的太行山／高嵩　摄

太行山绵延八百里，从北向南，河北的保定、石家庄、邢台、邯郸都有分布。

如今，太行山人把它看作一条致富的路，不只河北邢台和邯郸西部山区搞了开发，河南和山西两省也建设了旅游景点。无论怎样命名，差不多都用"太行山大峡谷"作关键词，景区各有特点，却大同小异。随着太行山绿化工程不断实施，国家也加大了投入力度。

叁 >> 绿色经典

1. 尚海林

塞罕坝上的一百二十多万亩山林，是一个典型的生物基因库。据统计，塞罕坝有各种菌类七十九种，植物六百五十九种，陆生动物二百六十一种，水生动物三十二种，昆虫六百余种。主要树种有落叶松、獐子松、云杉、桦树、柳树、山杨等几十种。历史遗迹有点将台、将军泡子、塞北佛石庙、乾隆殪虎洞、翠花宫、扣垦坟……

塞罕坝的林子长啥样？看看千层板林场的"尚海林"吧！

说起"尚海林"，还要从"马蹄坑"会战说起。——那是1964年早春，空旷的坝上原野新垦地里弥漫着泥土的芳香，站在山头往下看，近千亩的小平原状如马蹄。4月

◎ 右页图　尚海林中的小路／冯小军　摄

草木植成 089 第二单元

◎ 上图　尚海林／冯小军　摄

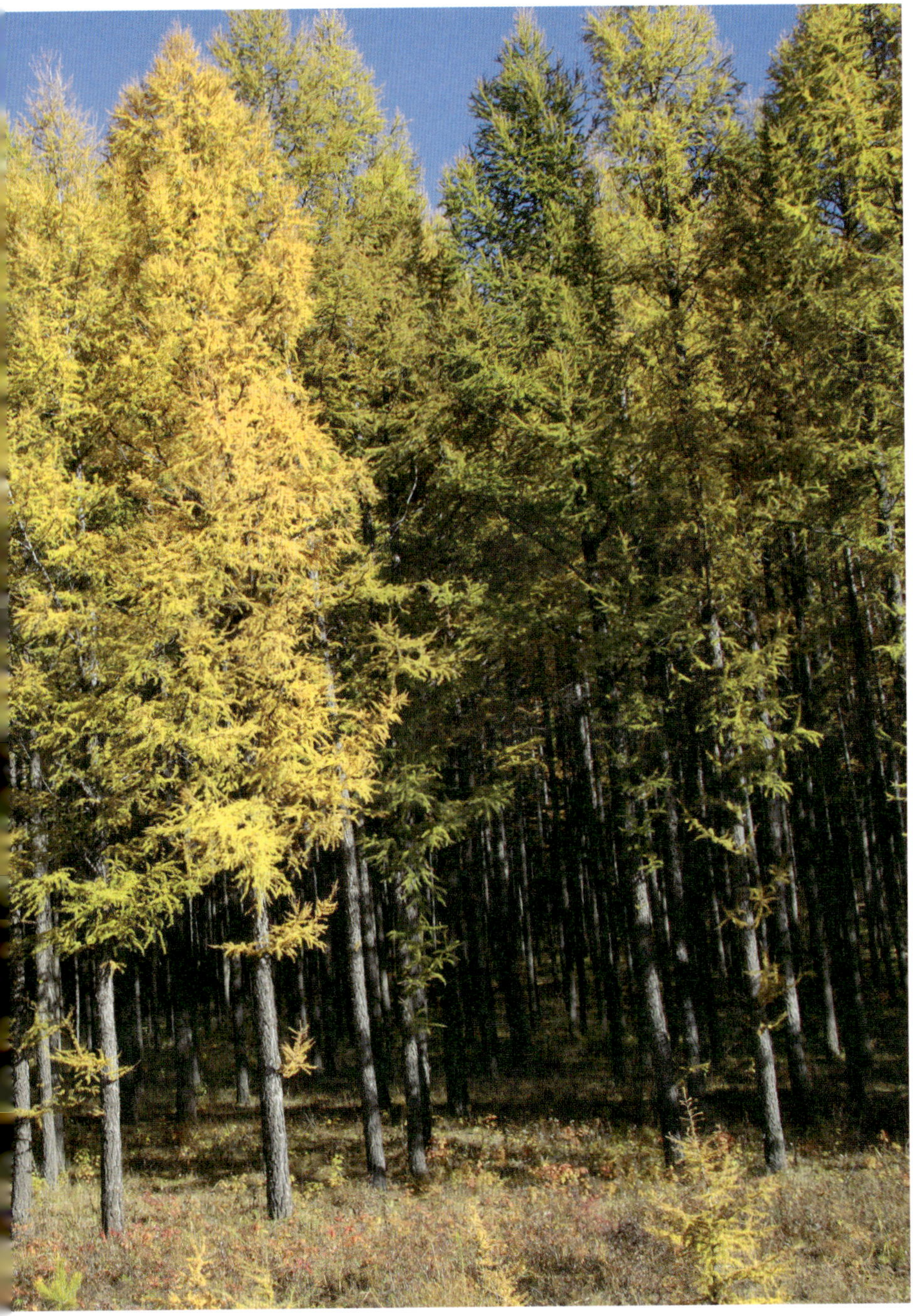

草木葱郁 092

20日，参加会战的七八十名职工，十几台拖拉机、植树机开始作业。东方红履带式拖拉机通过连接器牵引植树机，八小时植树二百亩，效率高得令人惊讶。

二十多年后，马蹄坑长成了一片茂盛的落叶松林。

1989年底，当年带领职工营造这片树林的第一任场长王尚海病倒了。弥留之际他一再和林场来探望他的老职工和家人提出死后要埋进马蹄坑树林的要求。1991年，塞罕坝机械林场党委决定在撒下王尚海骨灰的马蹄坑树林里修建一座纪念碑，还把这片树林命名为"尚海纪念林"。

现在，尚海林的林分质量、景观品位和三大效能显著提高，生物多样性日趋丰富，林内草本和灌木茁壮生长，忍冬、稠李、野玫瑰、碱草、薹草、地榆等植物种类有三十多种，保留木生长加快，林内天然更新幼苗逐年增加且长势良好，形成了乔、灌、草、地衣苔藓相结合的、优良的立体资源结构。

◎ 左页上图　忍冬／视觉中国　供图
◎ 左页下左上图　稠李／视觉中国　供图
◎ 左页下左下图　白色野玫瑰／视觉中国　供图
◎ 左页下右图　地榆／视觉中国　供图

2. 千年秀林：每棵树都有身份证

雄安新区最早栽下的树虽说刚刚六岁，可它们的主人却为它们规划了千年的事，这样的草木多么幸运啊！

说来，雄安新区建设的"千年秀林"已经名声斐然。这个名称源于"木秀于林"的城市森林在2017年拉开建设序幕，至今已经六年。"十年树木"，六年的时间已经能看出它们的长势，还有规模。这里不再像以前是清一色的"杨家将"了，而是国槐、松树、银杏等各种乡土树种都有栽培，还有各色灌木，错落混交，如今都已经郁郁葱葱。

在这片土地上，过去的行政区划内大致的森林覆盖率为10%，如今已提高到了32%。雄安造林绿化的速度一点儿也不比建筑高楼逊色，甚至更快、更好。在营造"千年秀林"的过程中，他们选择了一百多个树种，因为投入充足，所有的造林苗木都使用了原冠苗。

◎ 右页图　千年秀林／视觉中国　供图

第二单元　草木植成

草木葱郁

雄安新区的植树造林之所以能在短时间里取得突破，如同其他行业一样吸收了国际、国内最新的理论成果和实践经验。正所谓站得更高，走得更远。

培植近自然林的理念在雄安的实践，为千年大计打下了坚实的基础。雄安人考虑的不是如何用这些树赚钱，而是如何让它们能够存活百年千年，成为新区未来的绿色宝库。这样的规划定位，是雄安的森林之幸，也是雄安的民生之幸。

雄安新区布局的"一淀、三带、九片、多廊"空间绿化，如今骨架已经基本形成。

生态优先、绿色发展，"千年秀林"已经为雄安新区城市建设打出了蓝绿融合的底色。

目前新区已造林十七万亩，栽植了一千二百多万棵树，每一棵都凝结着建设者的汗水，更体现了他们从事造林绿化事业的超前理念。

◎ 左页图　俯瞰雄安郊野公园／张齐　摄

雄安新区造林从一开始就强调提高科技水平，提升造林绿化细化程度，打造科学示范基地。

参加造林项目的单位把创造"雄安质量""雄安标准"贯穿造林各环节的全过程。从选苗的"三优先、五不要"做起，保证优选本地乡土树种和原生冠苗，在苗木采挖、吊卸到栽植、管护，分门别类，都有严格要求。

与传统造林不同，雄安新区的"千年秀林"打造出的是一片"智慧"森林，这里的每棵树都有专属二维码，通过雄安森林大数据系统和管理平台，造林人员可以对苗木进行全生命周期管理。在造林施工阶段，造林工序和过程极其严格。在苗木栽植前，监理单位进行抽样检查，确保按图施工、精准放样和挖穴。在苗木定植后，各验收项的数据则自动抓取苗木栽植过程产生的数据，自动回填、无缝对接。在整个造林流程中，从土地整理、放样点穴，到苗木起苗、运输、栽植、支护、浇水等都可以通过大数据系统实现验收数据溯源追查，验收情景再现。这就意味着每种下一棵树，这里的信息系统就会同时生成一个数据。在地上栽植一片树林，同时还会生成一个线上的"数字森林"。

◎ 左页图　雄安新区植树工程／视觉中国　供图
◎ 下图　秀林里的公路／视觉中国　供图

草木葱郁 100

© 航拍雄安新区 / 视觉中国 供图

草木植成 第二单元

草木葱郁

◎ 左页上图　数字森林／视觉中国　供图
◎ 左页下图　雄安新区的森林／梁克义　摄

　　大清河片林的每一棵树都挂着一个二维码，它就是这些树的身份证，记录树种名称、规格、来源地、栽植时间、栽植人以及后续的管护情况。每一棵树未来每年的生长情况、病虫害防治等信息也将被一一记录。这是大数据技术首次在全国乃至全世界如此大规模地应用在林业种植上。

　　积累这些数字森林大数据能够改变过去林业研究只能在小范围内抽样试验的状况，提供全方位的演进式研究，帮助林业工作者更客观、更准确地认识和了解整个森林自然演替的规律和树种的生长规律，为我国林业技术升级提供基础的理论支持。

> **所谓的"千年秀林"不是说每棵树都能活一千年，而是从起点就安排让这片森林长久地繁衍下去。**

　　百年乃至千年后的人都会知道这里每一棵树的来历，知道当初是哪位建设者种下了它。在这样的地方，树木虽然不比古树和山区的天然林，却也有很多看点。因为看树的同时，会让人开阔思路，获得不一样的感受。

扫码听书

扫码看视频

第三单元

动物邻居

壹 >> 原住民在回归

1. 呼唤金钱豹

融雪的日子道路恢复通行了，参加小五台山国家级自然保护区与中国猫科动物保护联盟共同考察的人员已经到齐。人们除了寻找野生动物的痕迹外，还要回收以前放置在野外的相机。寒冬腊月大家穿着厚厚的棉衣走路有些吃力，经过一番跋涉，大家在2号监测点的红外相机里发现了一只金钱豹，连续三张清晰图片留下了它完整的影像记录。

图片显示的信息是一只雄性金钱豹从相机前经过。

它身长一米二左右，身体健康，状态良好。同时，该区域的红外相机还拍摄到了赤狐、豹猫、西伯利亚狍、斑羚、褐马鸡、雉鸡、勺鸡等多种野生动物。

金钱豹华北亚种为珍稀濒危、国家一级保护动物，过去山西、陕西、河北、河南等地均有分布，但现在只有山西省发现分布小规模种群。照片记录尚属首次。在小五

◎ 右页上图　小五台山风景／王福利　摄
◎ 右页下图　金钱豹／视觉中国　供图

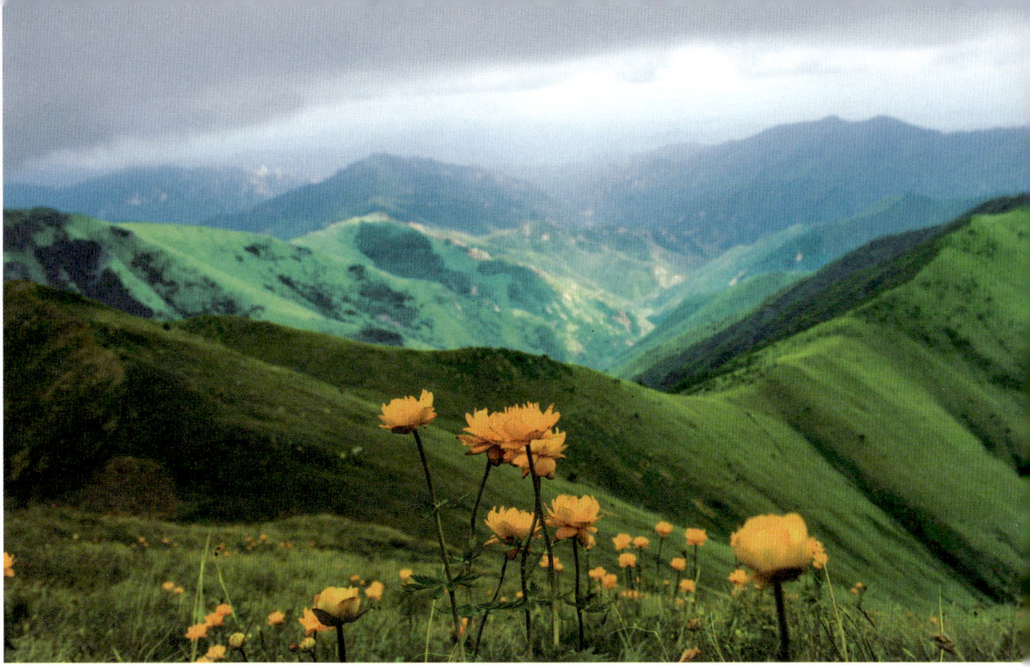

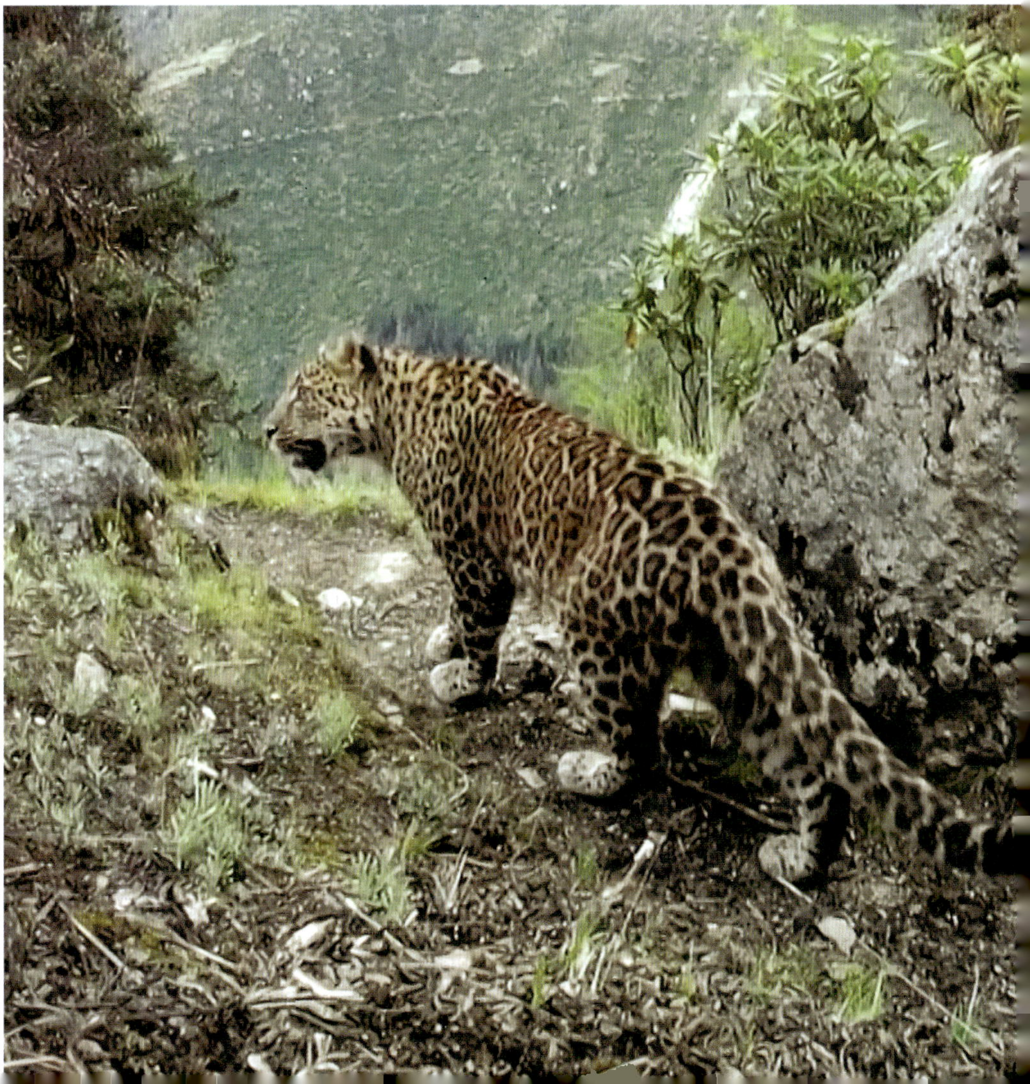

草木葱郁

台山地区拍摄到金钱豹为最接近北京的地区有大型猫科动物存在的证据，它证实了小五台山是金钱豹栖息地之一。同时，金钱豹在小五台山地区的野生动物链中处于顶级位置，证明了小五台山生态系统存在完整的食物链。

为了进一步调查了解小五台山自然保护区内发现的金钱豹大致活动范围与生存环境，保护区管理局工作人员决定再次上山考察。

结果在一条小河沟边发现了一张动物皮毛和一根腿骨，显然这是一只年幼的狍子。后来人们还发现了这只狍子的另外一些皮毛和头盖骨。

返回保护区驻地后，工作人员整理内存卡，虽然照片和视频中没有再次出现金钱豹，却记录下大量野猪、獾子、豹猫等动物活动的踪迹。看来小五台山里金钱豹有充足的食物来源，只要减少人为干预和破坏，金钱豹在小五台山自然保护区内繁衍壮大的可能性较大。

明清两朝河北各地地方志记载中金钱豹颇为常见，甚至在石家庄和邢台等平原地区都有分布。但到了近代，金钱豹的活动范围缩小到张家口、承德市和太行山的深山区。最近二三十年来金钱豹在河北更加神秘，鲜有现身。

◎ 左页上图　赤狐／视觉中国　供图
◎ 左页下图　勺鸡／视觉中国　供图

据野生动物专家介绍，2008年至2017年研究人员利用红外相机监测到一个华北豹种群，并确认华北豹在小五台山繁殖。邢台的内丘、临城，石家庄的平山，保定的阜平、涞源，张家口的蔚县、涿鹿等地都是华北豹潜在的栖息地。不过由于调查资料不足，并没有实体发现。

华北豹喜欢在人类较少干扰且海拔相对高的地区栖息。坡度较缓的山地针阔叶混交林是它们最喜欢的地方。豹有广泛的食谱，包括啮齿类、兔类、鸟类等。猎物密集度是影响华北豹分布的关键因素，而猎物是否丰富主要取决于森林植被的多样性。

2. 寻觅猕猴

猕猴是国家二级保护动物，在我国主要分布在南方。20世纪六七十年代兴隆县六里坪和雾灵山等地发现过它们。兴隆县的雾灵山和六里坪位于内蒙古、东北、华北三大植物区系交会处，各种植物成分兼而有之，生态系统复杂多样，成为温带生物多样性的保留地和生物资源宝库。这里不仅是猕猴和许多南方动物的分布北限，同时也是南北动物的生态走廊。

◎ 下图　六里坪云海／丁建军　摄

2003年夏天猕猴多次在六里坪出现，但目前野生猕猴种群整体情况并不清晰。南天门村在六里坪自然保护区东北部，是典型的燕山山地。从半山坡的梯田穿过，农民栽植的板栗树随处可见。沿着山间小路往山谷走，灌木杂草丛生，人工痕迹越来越少。如今野生动物与村民面对面接触并不容易。因此在野生动物可能活动的区域内设置相机，是目前最常用的记录方式。

其中红外相机技术已发展成为陆生兽类、地面活动鸟类资源调查和监测研究的重要技术。

相机布设在哪儿，需要认真考虑。除了尽可能选择野兽路径和水源附近，还要避免设置在阔叶植物前，以免遮挡。滦平县火斗山镇刘营村一位村民曾在后山上发现了一只成年野生猕猴，他还在兴奋之际那只猴子就跑进了树丛。据当地人介绍，第二年的端午节，猕猴又出现在村民杨凤荣家院子周围。杨凤荣和儿子李宽、儿媳谭小杰等都是目击者。猴子在西侧山崖上嬉戏，在院旁榆树上玩耍时被惊动，很快逃进了山里。有研究学者认为，在滦平连续多次发现野生猕猴，意味着野生猕猴的分布北限再次向北推进，标志北方的生态环境有了一定程度的改善。

◎ 右页上图　承德野生猕猴／视觉中国　供图
◎ 右页下图　太行猕猴／视觉中国　供图

动物邻居

第三单元

草木葱郁

贰 >> 共存之道

1. 遗鸥的第二故乡

康巴诺尔是蒙古语音译,意为美丽的湖泊。康保县名就是取其谐音而来。直观看,康巴诺尔是紧邻康保县城的一个水淖。但放在更大的地理尺度上看,这里是一个位于荒漠与半荒漠地带的淡水湖泊,是遗鸥最喜欢的栖息地。

成年遗鸥身体为白色,头顶和尾部呈黑色或褐色,夏天,成群结队在湖边浅水中或立或行,呆萌可爱。

遗鸥是世界珍稀濒危鸟类之一,是国家一级重点保护野生动物,中国濒危动物红皮书把它列为易危物种。

每年8月,遗鸥会迁徙到天津一带,然后它们有八九个月时间都生活在渤海湾,次年4月中旬左右迁往繁殖地。

◎ 左页图　康巴诺尔是遗鸥的乐园／视觉中国　供图

遗鸥的适应性很差，尤其对繁殖地的选择近乎苛刻，它只在干旱荒漠湖泊的湖心岛上生育后代。遗鸥此前的重要繁殖地有两个，一个在内蒙古鄂尔多斯高原上的阿拉善湾海子，这是一个盐碱湖泊。另一个是陕西神木市境内的红碱淖，这是中国最大的沙漠淡水湖。

这样的栖息地在中国北部高原地带可谓少之又少，遗鸥因此也被称为高原上"最脆弱的鸟类"。在2012年的全球水鸟种群评估中，遗鸥数量大约仅剩一万两千只。

近几年，遗鸥主要分布地由之前的内蒙古和陕西等地转移到康保。

康巴诺尔水资源丰富，且湖心岛条件适宜，在此繁殖的遗鸥数量不断增加。2016年，康保县康巴诺尔国家湿地公园遗鸥繁殖数量达到六千五百只。而且周边很多湖淖还是鄂尔多斯遗鸥迁徙途中的重要停歇地和加油站。

◎ 遗鸥振翅飞翔／视觉中国　供图

动物邻居

第三单元

2017年6月2日，康保县被中国野生动物保护协会正式授予"中国遗鸥之乡"荣誉称号。近年来，河北对康保康巴诺尔、尚义察汗淖尔、沽源闪电河等几个国家湿地公园加大保护力度，同时按照遗鸥生活习性不断建设湖中孤岛，努力营造栖息地，吸引遗鸥筑巢繁殖，效果明显，使康巴诺尔成了它们的第二故乡。

康保当地在湿地上游建成了日处理能力一千吨的污水处理厂，实现了中水达标排放入湖；在康巴诺尔湿地中心

堆砌了湖心岛，铺设了砂石，营造栖息地；成立了林业公安队伍，专门打击乱捕滥杀野生鸟类的违法犯罪活动。

　　遗鸥被康保人视为精灵，受到了全方位的保护。每年当地各部门和组织，都会开展遗鸥保护宣传工作。很多当地村民都主动打电话救助遗鸥。越来越多的环保志愿者加入康巴诺尔湿地保护队伍中，爱鸟、护鸟，保护湿地环境在康保县已蔚然成风。

◎ 下图　康巴诺尔湿地公园／视觉中国　供图

2. 放归山林是对梅花鹿最好的保护

鹿是中国传统文化中的祥瑞之兽，与清代宫廷亦有着十分特殊的联系。故宫博物院御花园在清代曾经养鹿，鹿苑在今天的故宫御花园西南，还有一座高台名"观鹿台"，台下尚存一道半圆形的鹿圈围栏地基遗址。

避暑山庄是清代第二个政治文化中心，建园之初就饲养了大量梅花鹿。

目前避暑山庄还在散养梅花鹿。究其源头，是由1981年放养的二十四只当年生的小母鹿和1984年放出的两只驯化的成年雄鹿繁衍而来。长期以来，避暑山庄内没有天敌，植被丰富，为梅花鹿提供了适宜的生存空间。到2006年，避暑山庄内散养梅花鹿数量已经有六百只以上，散落到山庄外的也有近百只。

◎ 右页图　承德避暑山庄／视觉中国　供图

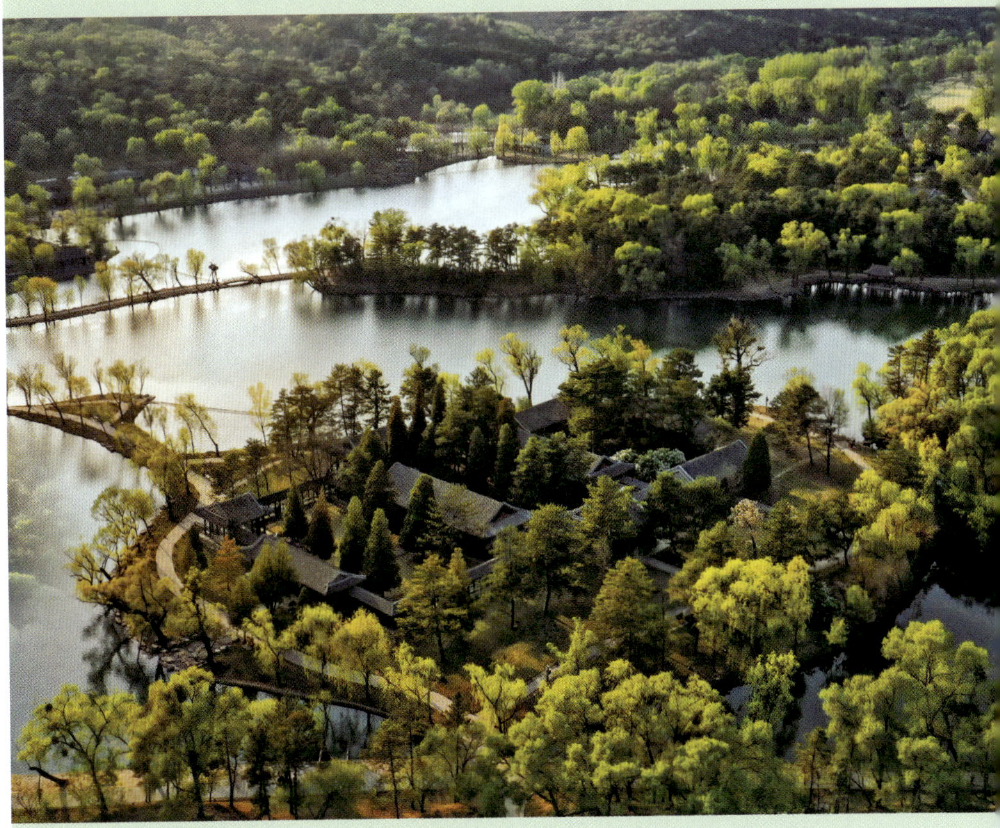

草木葱郁

令人怜爱的鹿群也会惹出让人头疼的麻烦。

2005年1月,有专家对避暑山庄内梅花鹿的种群数量等情况进行调查,结论令人心惊:在调查涉及的十五种五百五十四棵树木中,有两百多棵遭到了鹿的破坏。山庄内的柏树、白皮松、迎春花、云杉、刺槐、五角枫等树木遭破坏的比例在五成以上,其中五角枫被破坏的比例竟达到100%。

除此之外,每年都有鹿撞伤游人的事件发生,处理"鹿撞人"成为一件棘手的事。还有一些"自由散漫"的梅花鹿经常溜出山庄,破坏附近村民种的庄稼和果树,甚至因此引发官司。

2010年1月,避暑山庄管理处决定对山庄内的梅花鹿进行迁地保护,由该处与河北滦河上游国家级自然保护区管理局共同实施。按照双方协议,当年避暑山庄将两百三十只梅花鹿送往滦河上游国家级自然保护区。如今,避暑山庄内还剩下数百只梅花鹿,主要在山区活动,减少了对林木的损坏。

◎ 左页图　梅花鹿觅食／视觉中国　供图

3. 草原鼢鼠

坝上山地有很多鼢鼠，俗称"瞎地羊"，一片片长势看起来不太好的草地上，每隔几米就能见到隆起的土堆，这是草原鼢鼠的鼠丘。

鼠丘是草原鼢鼠觅食时挖掘出来的，数量及位置大多与其喜食植物的分布有关。

鼠丘会对草原植被造成伤害，土丘覆盖的地表植被难以正常生长。因此草原鼢鼠一直是草原综合防治的重点对象。

草原鼢鼠是河北最古老的动物物种之一，在河北分布的哺乳动物中种类最多的是啮齿类，占河北哺乳动物总数

的30%以上。它们中虽然有一些珍稀"鼠辈",比如复齿鼯鼠、沟牙鼯鼠等,但多数对农林草业都有破坏。

草原鼢鼠多在地下生活,极少到地面活动,不冬眠,感觉非常灵敏,而且有怕风畏光、堵塞开放洞道的习性,当洞穴被打开时,它会很快推土封洞。

草原鼢鼠生活的地下洞窟,有纵横交错的主道通向地面。各支道的末端或旁侧有宽敞的洞穴,分别为卧室、仓库、厕所和休息室等。

酷热的夏天,鼢鼠居住在离地面较近的洞穴里,空气流通,比较阴凉。冬天严寒时节,它们就搬进距离地面更远的深处,那里温度恒定,可以御寒。

◎ 左页图　草原鼢鼠/王运静　摄
◎ 下图　飞翔的白尾鹞/视觉中国　供图

草原鼢鼠挖掘的地道很长，深处可达五六十米。它是一个隐蔽自己的高手，洞口有好几个，而且十分隐蔽，外面用一些碎泥覆盖，一般察觉不到。如此一来，外行根本找不到鼠穴的具体位置。

由于坝上地区多风，是开发风电资源的理想场所，目前保护区实验区范围内已建成不少风电机。密集的风电机产生的干扰对该区域野生鸟类，尤其是大型猛禽的栖息和觅食造成了一定影响。在猛禽变少、缺乏天敌的情况下，草原鼢鼠等草食动物数量有了增加的趋势。

为了防治草原鼢鼠，当地采取了多种措施。如化学防治法，用毒饵拌香油，把饵料从洞口投入三十厘米深处。生物防治则是采用生物灭鼠饵料，往有效洞内投药。不过实践中人们发现，上述方法效果并不理想，且有可能对草原生物造成次生伤害。因此人工防治草原鼢鼠还是主流。近年来人工防治草原鼢鼠效果很好，鼠患严重的草地正在逐渐恢复。

自然界的生物链条是一个严谨自洽的链条，这个链条稳定的关键在于各个要素之间的平衡。

"鼠害"的提法是从人类的角度来说的，而在自然界中，人类与草原鼢鼠都处在食物网的某个链条中。

历史上人们采取过一些极端的方法，试图将某一个物种消灭。但实践证明，从大生态的高度来看，付出的代价远远超过短期的收益。好在人们已经意识到这种影响，并设法避免。

◎ 左页图　牛群在草原觅食／李术凡　摄

叁 >> 可敬的护鸟人

1. 苍鹭守护者

河北沿海、平原湿地、燕山—太行山一线是鸟类迁徙的重要通道。春末夏初和秋季，这里鸟类特别繁盛。

苍鹭属于国家二级保护动物，被列入《世界自然保护联盟2012年濒危物种红色名录》。

近年来，随着苍鹭生存环境的恶化，苍鹭种群数量明显减少，已经不那么容易在野外被见到了。苍鹭属于候鸟，每年春节过后陆续从越冬地飞回到宽城满族自治县千鹤山筑巢产卵，孵化育雏，10月上中旬迁离千鹤山到南方越冬。

◎ 右页上图　秋季的燕山／视觉中国　供图
◎ 右页下图　南太行日出／降国辉　摄

第三单元 动物邻居

草木葱郁

大桑园村地处宽城满族自治县西部，这里海拔不高，水草丰美，是苍鹭理想的栖息地。更为重要的是这里位于苍鹭南北迁徙的通道上。实际上三十多年前，迁徙的苍鹭并没有把这些无名山当作旅途中可以落脚的地方。1965年春天，村民商玉富发现八只苍鹭飞来这里栖息，他认为这是一种吉祥鸟，开始有意识地保护。后来苍鹭种群逐渐扩大，人们干脆把这座无名山叫"千鹤山"了。商鹤羽八九岁就跟随父亲商玉富上山护鸟，他的名字也源于父亲对苍鹭的喜爱。1985年，商玉富去世，商鹤羽便接过父亲的接力棒，专心守护鹭群。

苍鹭蛋比鸭蛋略大，因为野生，一些人认为它的营养价值高，便掏鸟蛋到市场上销售。一只苍鹭蛋能卖到四五元钱，这样的价格对于山里人来说很有诱惑力。商鹤羽发现后总要前去制止，有些掏鸟蛋的人感觉不忿，偶尔还会对商鹤羽动手。不过商鹤羽并没退缩，依旧做着他认为的好事。在他的影响下，大桑园村不少村民开始自觉护鸟，对偷猎等不良行为开展监督、劝阻。

从立春前后苍鹭飞来，大桑园村的志愿者都会守护在这里。鹭群产蛋和孵化时最忙碌。尤其是产蛋的时候需提防乌鸦、野猫、黄鼠狼等天敌，小鹭

◎ 翱翔的苍鹭／视觉中国 供图

孵化出来还要防备金雕、老鹰和猫头鹰。一直到小鸟会飞时人们才会松口气。如今，经过商鹤羽等志愿者的多年守护，千鹤山已经形成了独特的生物链，共有野生动物两百余种，其中国家重点保护动物和"三有"保护动物一百九十八种，除苍鹭外，黑鹳、白鹭、金雕等数量也在增多。2006年，河北省批复当地成立了千鹤山省级自然保护区。

千鹤山省级自然保护区总面积超过一万四千公顷，保护对象为珍贵稀有动物资源及其栖息地，特别是珍稀鸟类资源及湿地生态系统。

野生动物与人，正在通过商鹤羽等守护者实现和解与共生。

河北沿海地区是东亚—澳大利亚迁徙路线上最重要的水鸟迁徙停歇地之一，每年都有几百万只候鸟在此停歇、觅食、迁徙通过。其中有小巧可爱的勺嘴鹬，有白毛黑脸的遗鸥，有身姿曼妙的黑鹳，还有真正的旅行家红腹滨鹬。它们在迁徙过程中疲惫而脆弱，候鸟保护工作任务艰巨。

如今，全省有野生动物保护志愿者组织三十二个，志愿者达一万一千人。正是他们的保护和救助，让河北成为越来越多野生动物、特别是鸟类的自发停留和繁衍之地。

◎ 右页上图　栖息在水域中的黑鹳／视觉中国　供图
◎ 右页下左图　金雕／视觉中国　供图
◎ 右页下右图　红腹滨鹬／视觉中国　供图

第三单元 动物邻居 133

草木葱郁 134

2. 逐步繁盛的褐马鸡

小五台山国家级自然保护区杨家坪管理处隐藏着一个小型博物馆，其镇馆之宝是一只褐马鸡的标本。这只成年褐马鸡体高约六十厘米，体长一米左右，头顶羽毛呈绒状，黑褐色，耳后一丛耳羽非常奇特。耳羽成束状，向后延长，突出于头颈之上，形状像一对儿角。上背、两肩棕褐色，虽说是标本，今天仍具光彩，尤其是高高翘起的尾部特别好看，尾羽末端黑而具金属紫蓝色光泽，很是庄重威严。

这是一个从远古走来的神奇物种，中国特有珍稀鸟类，国家一级重点保护野生动物，世界易危鸟类。

传说黄帝与蚩尤争夺天下时，"帅熊罴狼，驱虎豹为前，驱雕鹖鹰鸢为旗帜"，这里的鹖便是褐马鸡。

根据古籍推测，我国古代褐马鸡的地理分布区域主要在山西的晋中南、吕梁山和五台山，北部的大同及河北的宣化等地。但时至今日，褐马鸡仅分布于我国华北地区和西北地区的局部山地，主要栖息于海拔八百至两千米的针叶林和针阔叶混交林中。

◎ 左页图　褐马鸡 / 视觉中国　供图

过去许多地方一些农民以打猎为生，褐马鸡曾是他们的狩猎对象。即使是现在，不少地方尤其是保护区外围地带仍有偷猎褐马鸡的事件发生，人们用套子、农药狩猎环颈雉时误伤褐马鸡的情形时有发生。令人欣慰的是，自20世纪80年代以来，随着山西省庞泉沟、芦芽山，河北省小五台山等一批以褐马鸡为主要保护对象的自然保护区建立，褐马鸡的栖息地得到了有效保护，野生种群数量在不断增加。

小五台山多样性的植被能够提供有效的食物资源，是褐马鸡种群生存的基础。

但由于小五台山地区冬季气候严寒，降雪时间长，有时会造成季节性食物短缺。保护区工作人员会在冬季进山，寻找褐马鸡可能活动的范围进行野外投食，为其种群补充食物。

目前，在褐马鸡分布的三大山系已经建立起了八个国家级自然保护区。这八个保护区成了"中国褐马鸡姐妹保护区"。保护区定期开展信息交流，研究保护对策，使褐马鸡保护由点及面形成一个相对好的生存环境。

◎ 右页图　小五台山云海／曹素敏　摄

动物邻居

第三单元

扫码听书

扫码看视频

第四单元

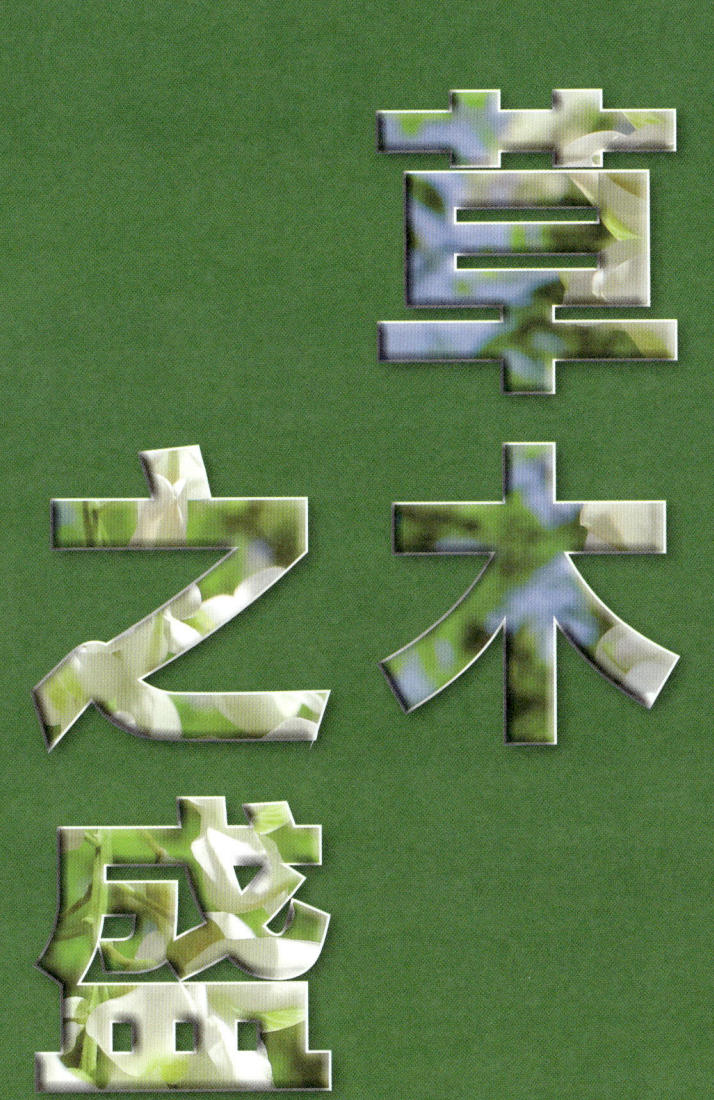

草木之盛

壹 >> 从"浅绿"到"深绿"

1. 中国植被的过渡带

八百里太行奇绝险峻，人迹罕至的地方一些神奇的植物得以保留。全国第四次中药资源普查时，人们意外地在涉县深山里发现了一丛小花。大概是峭壁上营养汲取困难，这种小花带裂纹的叶片有些枯萎，五瓣白色花瓣中间簇拥着黄色花蕊。

> 人们管这种独有的物种称作太行花，后被认定为世界濒危植物，属于国家二级保护植物。

太行花为蔷薇科太行花属植物，多年生草本，分布范围狭窄，仅存于太行山局部地区海拔一千至一千三百米的疏林或悬崖峭壁缝隙里。大面积太行花群落的发现，对河北太行山区的自然生态环境研究具有十分重要的意义。

◎ 右页图　青山绿水太行山／周建军　摄

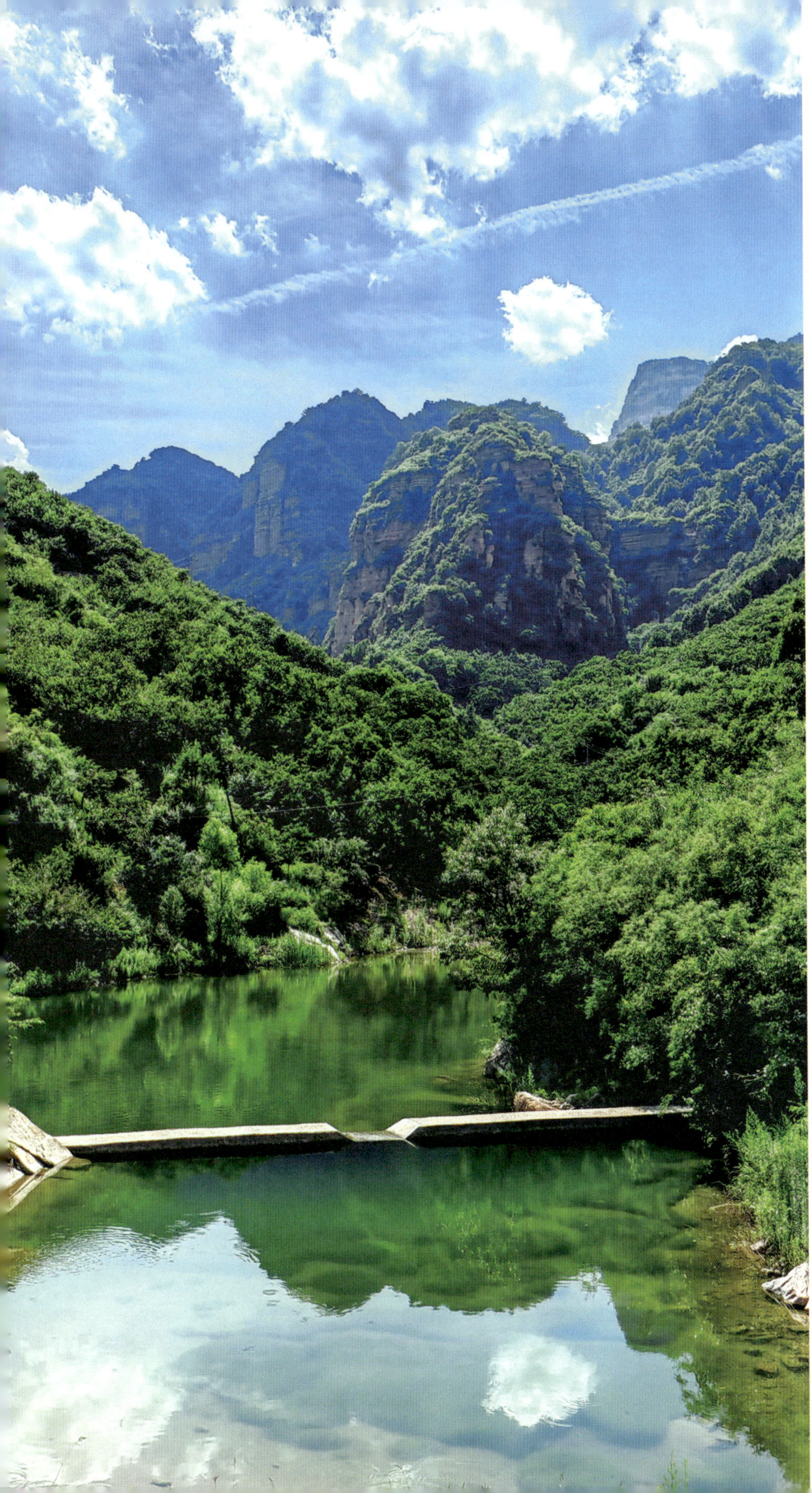

河北分布有一些特有植物，如小五台紫堇、雾灵柴胡、缘毛太行花等。但与云贵、川陕等地比起来，河北植物种类在绝对数量上并不多。从全国角度来看，河北植物种类数量居中上位置。省内的植物区系组成中温带成分占有绝对优势，分布较多的科有菊科、禾本科、豆科、蔷薇科、百合科等。

河北植物区系成分带有鲜明的过渡性特点：因为地貌种类的多样，河北植物区系组成拥有很多跨气候带和跨地域区系的特征。

◎ 下图　小五台山金河寺塔林／视觉中国　供图
◎ 右页图　紫堇花／视觉中国　供图

中国种子植物共有九百三十个温带属性的属，70%的属在河北有分布。小五台山国家级自然保护区杨家坪管理区位于华北植物区系的中心地带，野生植物资源丰富，这里不仅有华北植物区系的代表植物，而且还有东北和华中植物区系的植物，以及一些具有热带亲缘的植物。这里也是华北保存自然植被最完整的地区之一。

河北山地地貌类型齐全，冀北高原、冀北燕山及冀西太行山山地、丘陵、山间盆地等自然单元都表现出明显的

© 小五台山金河口自然风景区风光 / 视觉中国 供图

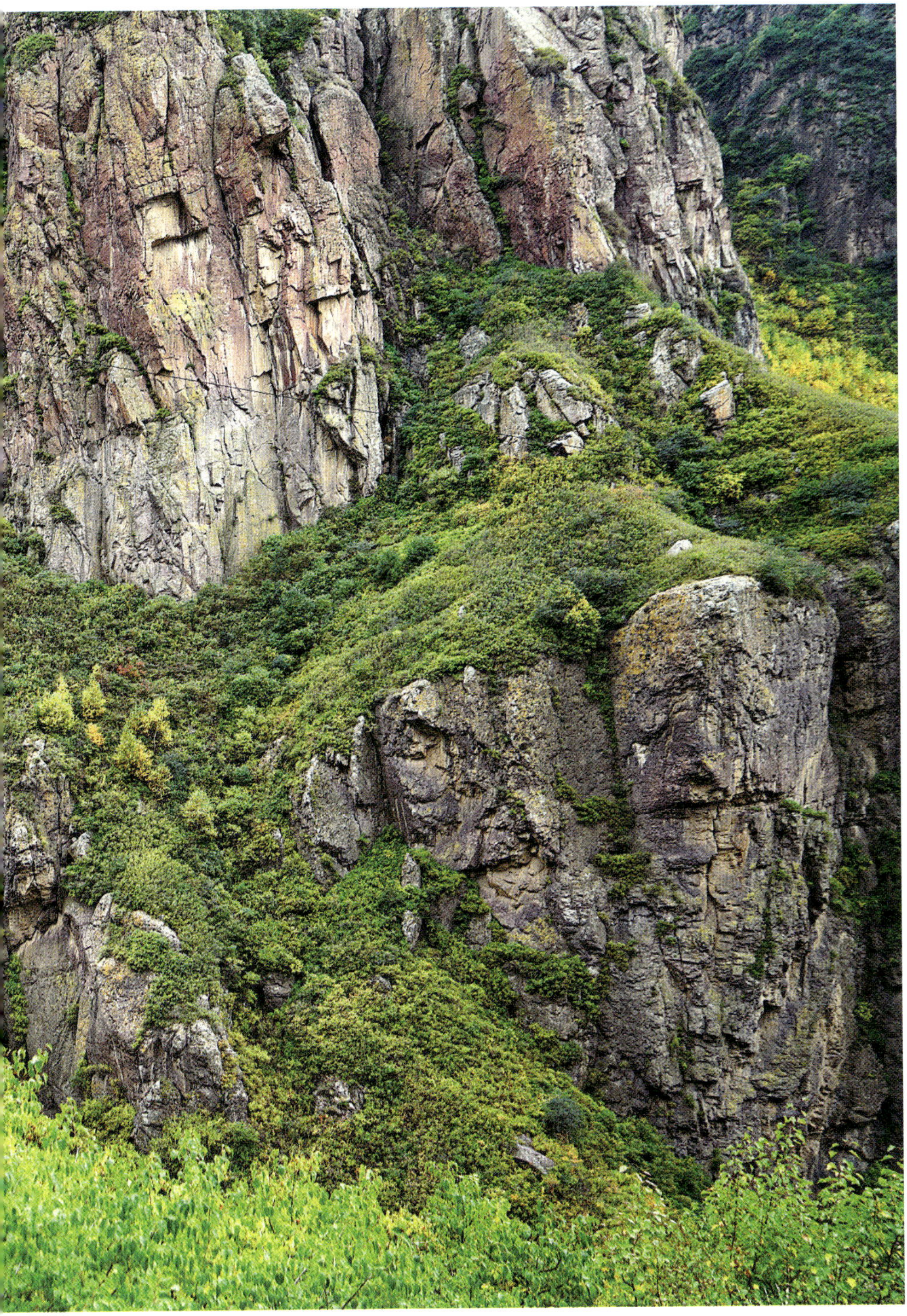

温带、暖温带地带性植被特征及垂直分布的规律。而这些规律，在小五台山表现得淋漓尽致。

小五台山国家级自然保护区的植被类型垂直分布明显，形成典型的垂直分布带谱。

相对来说，小五台地区降水资源比较丰富，因此影响植被垂直分布的主要因素还在于气候。由于小五台山海拔较高，山体自下而上气候差别较大，所以植被具有四季同时垂直分布现象。

2. 美丽的冀北稀树草原

坝上稀树草原，这个历史上蒙古族游牧的地方，清朝进行秋狝大典的舞台，是典型的冀北山地和内蒙古高原衔接的大草原。温带大陆性季风气候的特点导致它春天短暂、夏天更短，只有夏与秋合并的凉爽气候给人一种奇特的感受。

汽车在坝上坝下的山地间左右盘旋，山路弯弯，高低变换。车子快速行进，车窗外树林的绿影被压缩成了一堵流动的绿墙，视野转化成听觉，风驰电掣中仿佛听得见松涛阵阵。远处的山林宛如一幅颜色深浅不同的油画。

◎ 左页图　小五台秋色／曹素敏　摄
◎ 下图　草原银河／迟国正　摄

草木葱郁

林道和防火道建设是保护区多年来一项重要的基建工程。那里播种的土豆眼下正在花期，蓝色的小花分外养眼。

**　　落叶松和云杉树长满两侧山坡，大山褶皱里可见亭亭玉立的白桦，它们那婀娜多姿的形象让人想到穿着白色婚纱的新娘。**

　　出山沟，进湿地，繁茂的野草围绕着亮晶晶的水面，那里波光粼粼，晃人眼目。

　　方才还在视野里的崇山峻岭，眼下已经踩在脚下。站在高山之巅遥望远方莽莽苍苍的山林，山脊线条柔和，山坡丰腴舒展，全不像太行山和黄山、泰山那般嶙峋陡峭，给人一种辽阔苍茫的美感。面前群山逶迤，绿浪如潮水一般涌来。视线尽头，蓝天和绿地渐渐淡化，最后融合起来，混沌成一种潮水的颜色。这种天地交接逐渐合一的模样如同大海尽头的景象。

　　站在坝缘的台地上仰望苍天，目力所及的山地好似正在抬起，天空显得低了许多。白生生的云彩在远处飘浮，估摸起来似与自己站立的山岭一般高低，因此便有了"一览众山小"的感觉。7月初的日子，坝上到处天蓝草绿，水洗一般了无纤尘。

◎ 左页图　阳光下的桦树／视觉中国　供图

满眼茂密的森林，在经过了一段浓阴后眼前豁然开朗起来，左右出现了成片的多彩草甸。山地上的花草美得如同地毯上绣满花儿似的凹凸有致。由于无霜期短，一种同样品种的野花，一样的生长季，在这一片冀北山地间竟要争着抢着生长，在最集中的几十天里尽情迸发能量。

浩瀚无边的高原台地百花齐放，五光十色。

远望这一片草甸，底色碧绿，上面繁花似锦。说是绿色草原，花儿却多为蓝色：马蔺、秦艽、翠雀和花葱是纯蓝色；长柱韭、北乌头、沙参、蓝刺头是深蓝色；石沙参、紫菀、祁州漏芦、粉报春是浅蓝色。紫中透红的更多，比如瞿麦、矮葱、楼斗菜、蓝盆花、石竹、麻花头、囊花鸢尾。其余的如红色的百合，黄色的毛茛和大戟，白色的银莲花，粉色的红景天，一律显得弱势，成了蓝色花草的陪衬和点缀。花有大小，色有主从，但是各有形色，各有个性，千姿百态，共生共荣，都是大自然的安排。金莲花形如碗莲，盛开时如黄蝶飞舞。鹿蹄草叶呈卵形，上部绿色，下部灰绿，边缘反卷，带有白霜，像麋鹿的蹄印。银粉背蕨，叶背银白清晰，五角形，像小孩儿的拳

◎ 右页上图 坝上草原 / 视觉中国 供图
◎ 右页下图 七彩森林天然氧吧 / 石占领 摄

草木之盛

第四单元

草木葱郁

◎ 左页上左图　沙参的花朵／视觉中国　供图
◎ 左页上右图　翠雀／视觉中国　供图
◎ 左页中左图　石竹／视觉中国　供图
◎ 左页中右图　漏芦花开／视觉中国　供图
◎ 左页下左图　红景天／视觉中国　供图
◎ 左页下右图　黄海棠／视觉中国　供图

头。黄海棠枝柔而披散，叶翠绿清秀，花色鲜艳，雄蕊散露，灿若金丝，如蝴蝶翩翩起舞。干枝梅花期有先后，初开时泛紫，已经成熟的近白，纯洁而高雅，二色变换，粉白交替，交相辉映，它的花形独特，朵朵小花如满天繁星，光彩耀目，楚楚动人，给人含情脉脉、一往情深的感觉，被誉为"花卉新贵"。

草原深处的树冠基本没有顶尖，一律平展展的。

无疑，那是狂风为它们塑形的结果。三五株或一小片，天然而散漫。

这样的稀树草原，牛马最为喜欢，它们喜欢这样辽阔的地方，小马驹不时在马群周边撒欢儿，有的公马站着嘶鸣，却不知道为了什么。它们也喜欢沙包，偶见它们走到那里打滚儿。翻几下身子后，磨蹭着，一旦抬腿站起，马上抖动身上的沙土，之后就噗噗地打几下响鼻，连旁观的人都为它感觉痛快。

这一方天地的左邻右舍有崇礼滑雪区、赤城温泉、张北草原风景区、草原天路，还有被称为京北第一草原的丰宁坝上草原。

3. 太行山裸岩治理

昔日的涉县因长期战乱、灾害频发，可谓岭秃山荒，生态失衡。新中国成立之初，涉县森林面积只有两万余亩，森林覆盖率不足2%。为破解太行山干旱石质山区造林难，涉县开展了石质山区干旱阳坡和裸岩区造林技术试验。

侧柏、油松是太行石质山区造林的先锋树种，也是涉县造林的首选树种。

连翘和黄栌是涉县山区的乡土树种。针叶和阔叶林混交，不仅景观效果好，林分上也更加接近涉县山区自然林的状态。在涉县，造林坚持"宜乔则乔、宜灌则灌、宜花则花、宜草则草"的理念，不仅重视增加数量，更重视提升质量，不仅重视生态效益，更重视景观效益、经济效益和社会效益。

◎ 右页图　涉县太行山群峰挺立／视觉中国　供图

第四单元 草木之盛

◎ 上图　侧柏／视觉中国　供图
◎ 右页图　油松／视觉中国　供图

　　沿涉县圣福天路前行，道路两侧层峦叠嶂，植被茂盛，风光旖旎。当地人介绍，每到秋季，大批驴友和自驾爱好者蜂拥而至，一睹太行山秋日美景。

　　原来的圣福天路沿线有大量废弃矿山。废弃后的矿山留下大量裸岩，寸草不生，成为太行山脊背上的巨大伤口。为太行山疗伤是攻坚造林的重要任务。涉县对西达镇台华村石英砂岩矿、井店镇玉林井村小泉沟建筑石料用灰

岩矿，以及圣福天路沿线废弃矿山裸岩实施绿化工程，采取"栽、喷、播"三措施，进行集中治理。

"栽"就是进一步实施造林绿化工程，增加绿化总量，采用油松、侧柏大苗，混交观叶的黄栌、石楠，观花的连翘、山桃、山杏、天鹅绒紫薇、刺槐等树种，对区域内的宜林荒山进行高标准绿化。

"喷"就是针对尾矿库不稳定区域，对废弃矿山区采

© 圣福天路 / 芦延华 摄

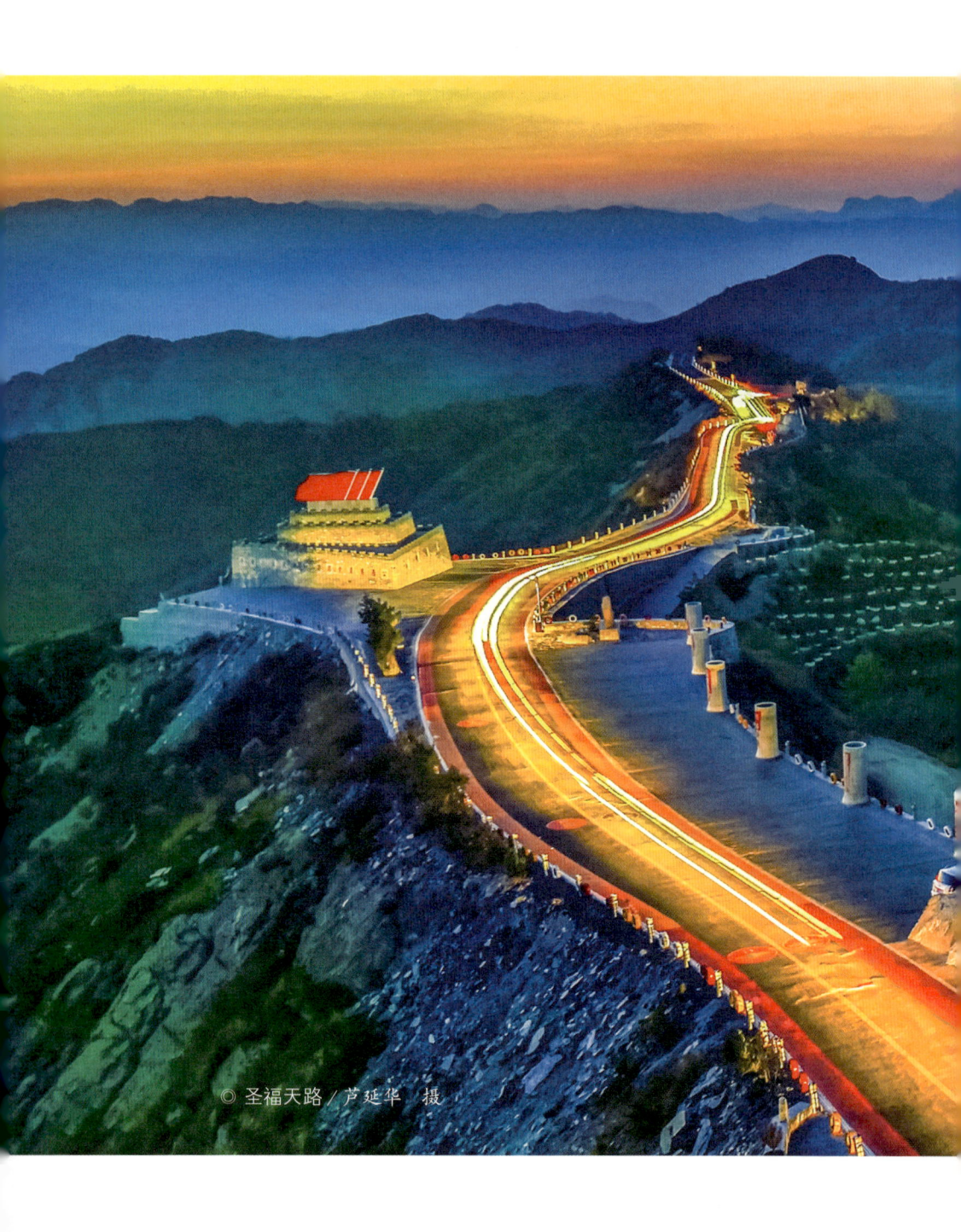

第四单元 草木之盛

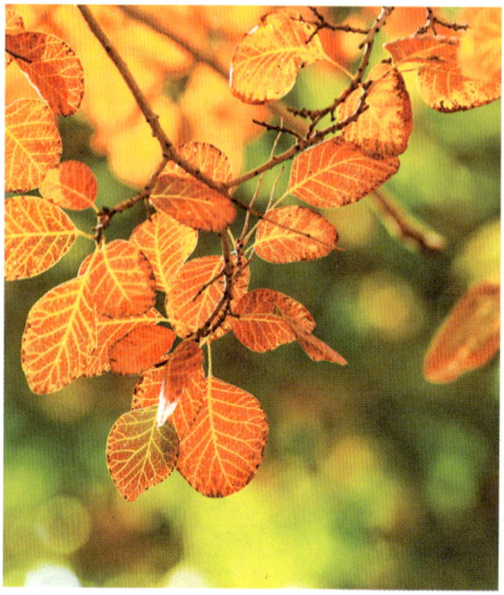

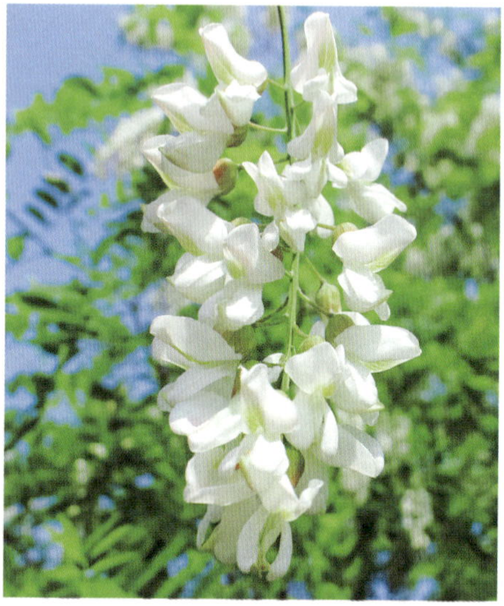

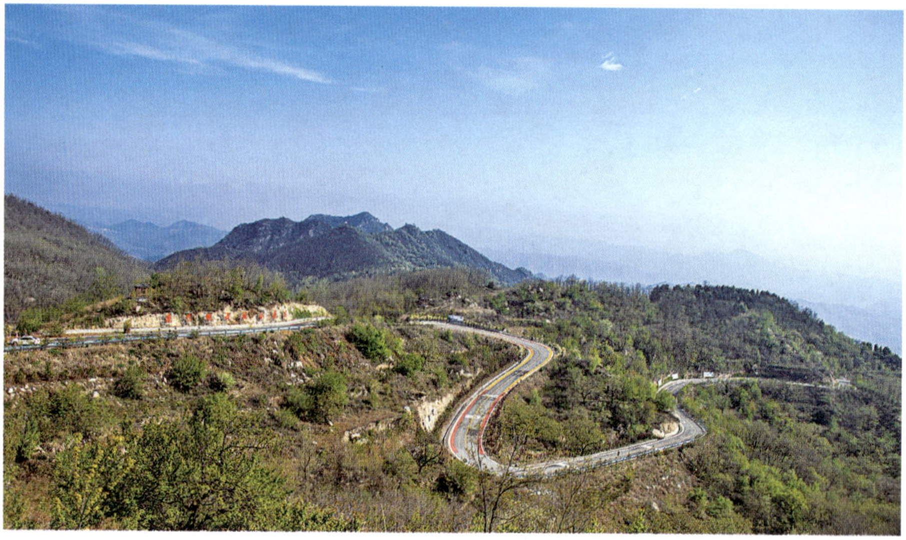

◎ 左页上左图　黄栌/视觉中国　供图
◎ 左页上右图　刺槐开花/视觉中国　供图
◎ 左页下图　圣福天路美景/视觉中国　供图

取边坡喷浆固化措施，喷射混凝土浆护面，并在坡面上打孔，留出排水孔，避免了可能堵截地下水而影响坡体的稳定性。在喷浆固化后进行岩质边坡绿化，以水土流失和污染控制为目标，选择一些生长量大、根系发达的多年生草本植物，同时选择部分灌木和乔木来实施绿化，以达到快速恢复植被的效果。

"播"就是对所有适宜植物生长的部位，包括尾矿库，播撒格桑花和百日草等多年生花草，通过花草根系错综相连来固定水土，在保持水土的同时呈现乔灌花草结合、错落有致的绿化景观。

贰 >> 共享绿色福利

1. 绿色廊道

河北在路旁植树始于秦代。如今，秦皇古道旁的松树早已不知所终，但古人在路旁、村旁、宅旁和水旁植树栽桑的传统沿袭下来。直至现在，这些区域仍是国土绿化的重点区域，只是"四旁"的概念正在不断扩展。

如今，河北国土绿化的重点任务是依托京津风沙源治理、三北防护林等国家重点生态工程，以"两山"（太行山、燕山）、"两翼"（张北地区、雄安新区）、"三环"（环首都、环城市、环村镇）、"四沿"（沿坝、沿海、沿路、沿河）为主攻方向，实施十一项重点工程

秦皇古道／石超峰 摄

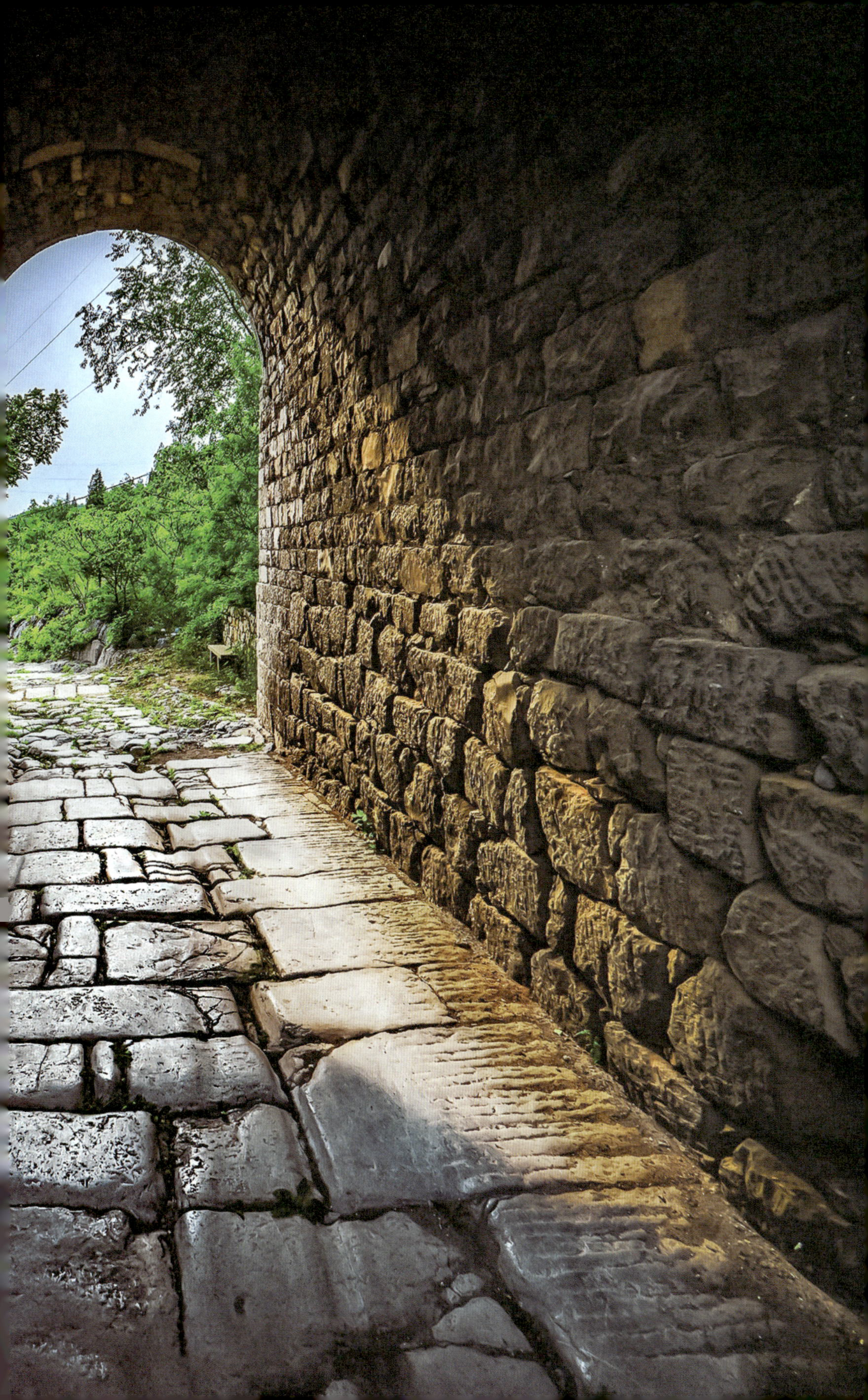

造林范围的变化实际上也反映了理念的变化，尤其是近年来，绿色廊道、森林城市等新的造林理念持续发展，为植树造林探索出了一个新的路径。

随着人们生态环境意识的增强，绿色资源已经成为一项重要的民生资源。城市规划者逐渐意识到：城市的主体归根到底是人，生产之外还有生活，忙碌之外还需休憩，建设之外也需留白。

全长近三十公里的太平河绿道上游人如织。人们在成排的柳树、碧桃、海棠前驻足。多年前，太平河还是石家庄西北部一处荒草丛生的河滩，如今这里已经成为市民亲近自然、游憩健身、绿色出行的绝佳场所。

清明前后的日子出来踏青的邢台市民在七里河健身绿道中的休闲驿站小憩。绿道是以自然要素为依托，串联城乡游憩、休闲等绿色开敞空间，以游憩、健身为主，兼具市民绿色出行和生物迁徙等功能的廊道。2011年，河北省启动绿道绿廊建设，并将绿道绿廊建设纳入省级园林城市创建要求。最近五年河北省绿道绿廊年均增长三百公里，总长已达到三千公里。

◎ 邢台七里河／刘子立 摄

第四单元 草木之盛

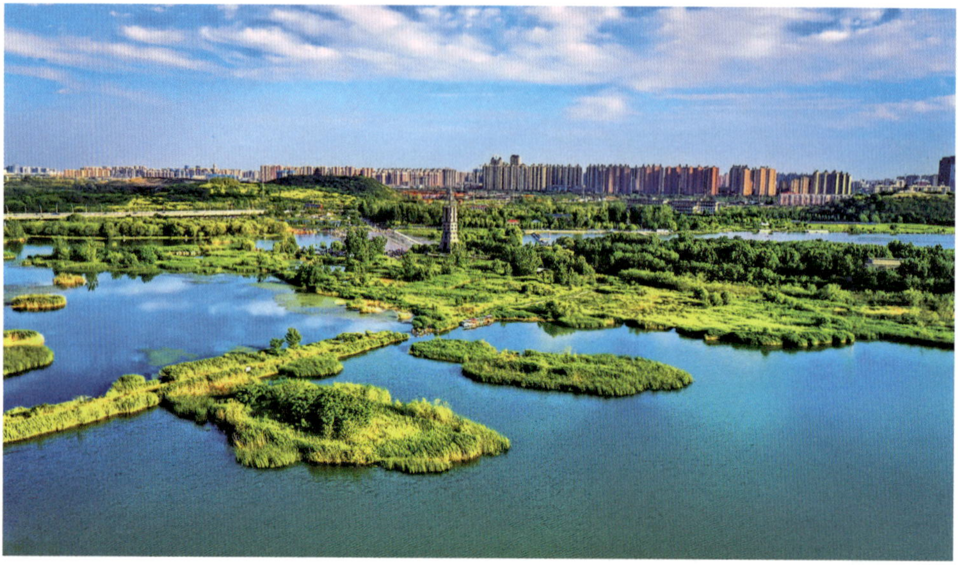

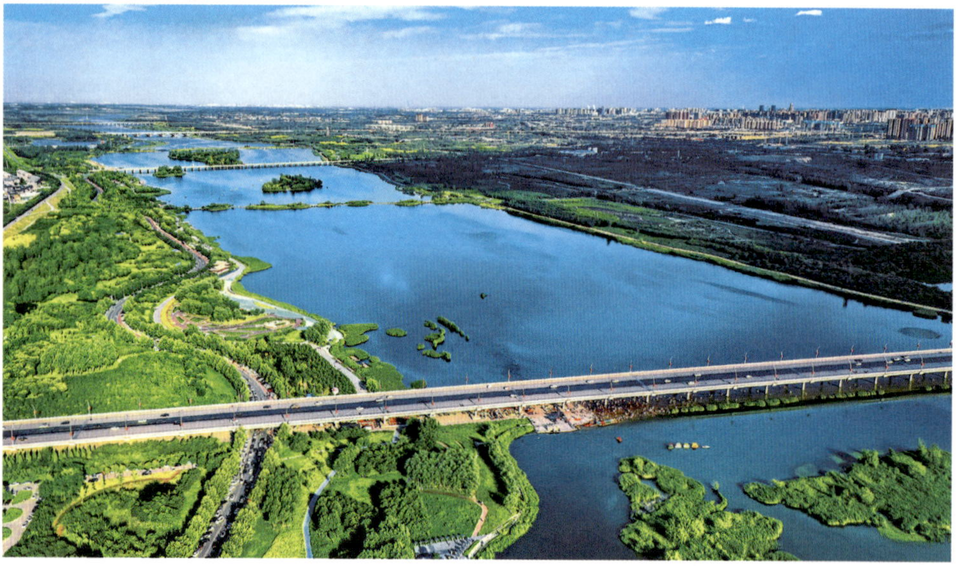

绿道是将城市自然山水和人文景观串联在一起的绿色动脉。

  石家庄市的太平河绿道和滹沱河绿道都是依托水系，在两边绿地内建设绿道，绿道顺着河道的走向自然蜿蜒展开，不改变原来水系景观的原有风貌。邢台七里河绿道则是利用原有滩地建成多处沙滩游园和休闲栈道，增强亲水和戏水体验，同时充分融入文化元素，沿线建设了邢襄文化长廊、健康科普长廊和国学经典长廊。

  在邯郸广平，环城绿道以环县城水系为依托，在河道两侧建设绿道，打造滨水景观，实现环形绿地布局，将城区内公园、游园进行有机串联，形成了线形绿色游憩空间和健身休闲慢行系统。沿线建成八个体现广平历史文化特色的景观节点。

  这些集休闲、健身、文化、游憩于一体的综合性绿道，不仅串联起了城市的自然历史人文景观，还提升了城市居民的幸福感，丰富了人们的绿色生活方式，更在一定程度上助推了城乡融合。

◎ 左页组图　滹沱河风光 / 张春刚　摄

就像人们穿衣不再单单是为了御寒一样，当道路不仅是为了交通，而成了人们休憩场所的时候，它的意义与人的幸福生活紧密相连，其功用才有了实质性的改变。

2. 大海陀

迷人的蓝天，多彩的林海，林下猛地跳出一只松鼠，扑棱棱飞起两只山鸡……别看大海陀山高林深，其实它离首都北京并不遥远！

> 海陀山在河北张家口，为京北第一高峰，与古镇独石口同为燕山一脉。

若在酷热难当的暑天来大海陀游走，落脚就会感觉这里已是秋天。仰观高陀崔嵬，满眼绿浪滔滔。山溪叮咚，踩着水中的山石喝一口山泉，寒凉之气顿时透彻肺腑。

这里雨季常常乌云锁山，云雾贴着山坡飞动。这情形虽然不是大海陀独有，但是这儿更近高原，风疾雨猛，云雾激荡。传说，大海陀远古是海，海陀山是水上小岛。造山运动使这里海水倾泻，小岛抬升，形成了现在的海陀山。试想，把传说里的海水换成云雾，解释也是对的。

◎ 右页图　大海陀山森林／视觉中国　供图

第四单元 草木之盛

大海陀森林景观自下而上梯级分布，燕山山脉典型的植被垂直图谱集中于一山。值得一提的是这里林相更丰富，表现更典型。天然榆树、野生核桃楸、白桦、红桦、华北落叶松、蒙古栎等乔灌木多达几百种。气温升降，森林色彩变化明显。或红或黄，或橙或褐，说不清道不明的是过渡的状态。领略海陀山的森林美景，秋天好，霜降更好。

　　溪流叮咚，树草掩映。见或不见，无弦之音总是相

◎ 上图　海陀山自然风光／视觉中国　供图

随。最值得称道的是黑龙潭，陡峭的山崖形成瀑布，一而再、再而三地跳跃，最后扑向大地。母亲敞怀，揽绿一潭。人立瀑布之下，沾衣欲湿，静寻水中鱼虾活物，别是一番享受。

大海陀山势高峻，适合夜观星象，朝看日出。夏秋之夜，支起一顶帐篷夜宿天脊，于习习凉风中观看天空，星汉璀璨，天穹神秘。月瘦星稀的凌晨，站在山脊上观看日出，乌云渐退，铅紫开裂，暗红生长，曙光初露。不经意间天边一片火红，蛋黄一般的红日便在跳荡中喷薄而出。

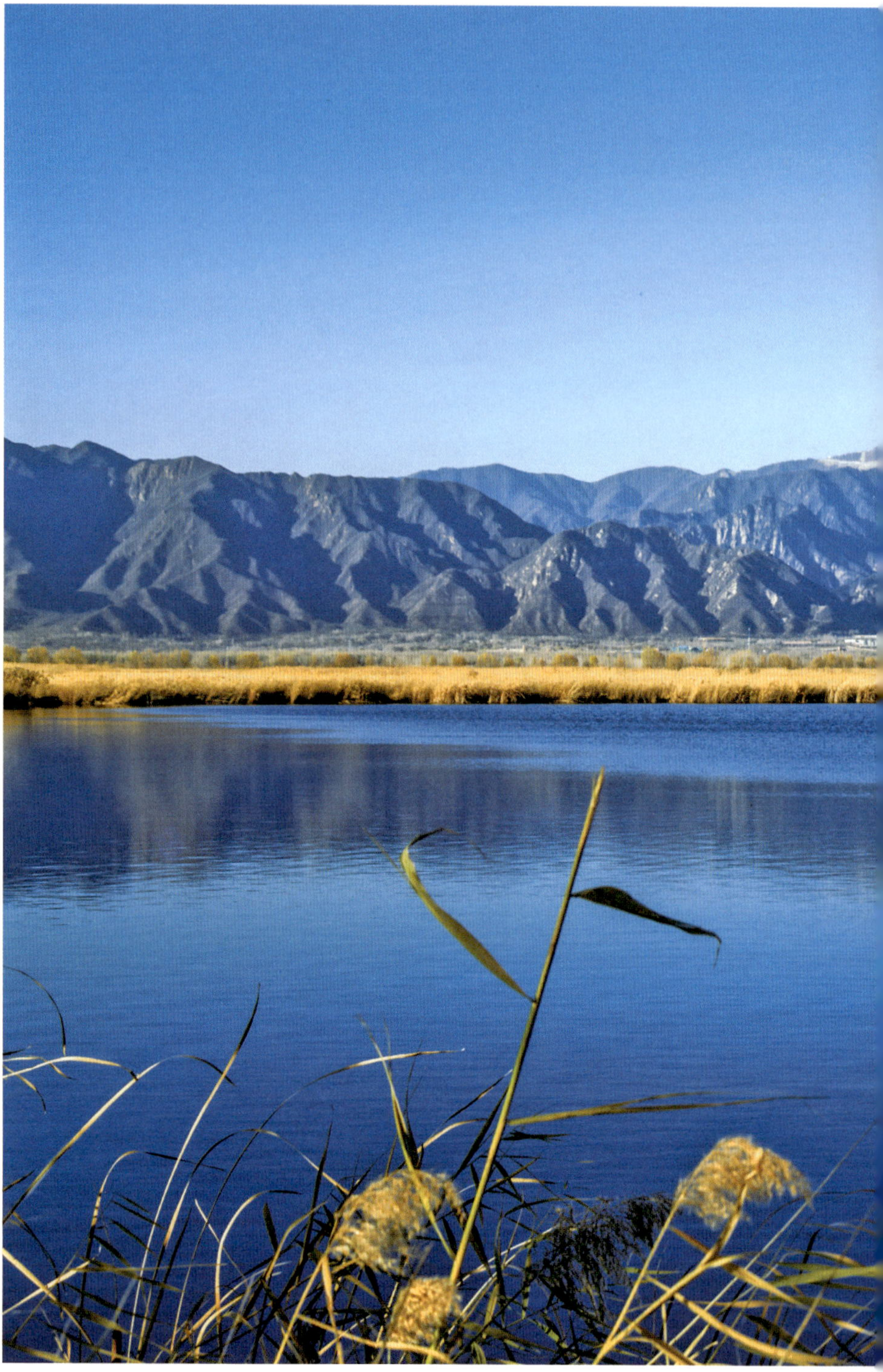

大海陀山美水美，人文景观亦为人倾慕。郦道元《水经注》说它"高峦截云，层陵断雾，双阜共秀，竞举群峰之上"。

◎ 一湖秋水映海陀／视觉中国　供图

3. 森林康养

到林区，实际上就是去享受绿色福利。树木不会说话，可只要你愿意，完全可以和花草树木交朋友。毫无顾忌地敞开心扉向它们倾诉，它们绝对不会反驳你，而且会用低沉的林涛给予回应，那些睁着大眼睛的白杨树甚至可以给你某种提示，让你释放生活压力，获得心灵的安宁，进而让你喜而不狂，怒不失态。

如今社会上有一个"森林康养"的热词。到森林里去，将负面情绪清零。

到森林里疗养一段时间，闻闻花香，听听溪流叮咚，能很好地消除生活压力。

去广袤的森林里参加康养活动，在茂密的树林里大喊一阵，不用看人脸色地开怀笑上一会儿，就会身心通泰。

"这么近,那么美,周末到河北。""这么近"是不消说的,踏出北京和天津一步就是河北的地界,两天时间完全可以来一次说走就走的"远"足,随便挑选一个"野"的地方放纵一下。它的好处绝对不比在烟熏火燎的大排档里享受美食逊色。满足味蕾是享受,到森林里放松身心更是享受,而且这种享受更自然,更高级!

"那么美"是怎么说呢?草木的颜色在大千世界里最美。人类最初是从森林里走出来的,人们先天有亲近自然的基因,花草树木最值得深交。如果在稀稀落落的春雨里你无忧无虑地看着一片树叶或一朵花儿发呆片刻,其实你

◎ 左页图　周末到河北·古城正定／李国权　摄
◎ 下图　河北乡村民宿／视觉中国　供图

草木葱郁

草木之盛 第四单元 177

© 漳河弯弯绕太行／汪保忠 摄

草木葱郁 178

◎ 左页上图　康巴诺尔湖／视觉中国　供图
◎ 左页下图　漳水环绕的太行山／汪保忠　摄

已经很幸福了！或许这就是河北人邀请你"周末到河北"的理由吧！

从河北省最南端"西门豹治邺"的漳河到邻近内蒙古高原的康巴诺尔湖，从高高的太行山巅到我们的开国领袖曾经"闲庭信步"的秦皇岛上，从黄骅大洼湿地到大运河两岸的葳蕤树林，哪一处不够人安闲地流连半日呢？在社会发展进步到一定程度后，精神消费获得的享受远比物质消费质量更高，给人的幸福感更强烈。

河北一直为畿辅重地，有人甚至用"北京是心脏，河北是胸膛"这样的话描述它们的关系，这话无疑是形象的。

如果，你现在对这句话的理解还不够深刻，那么不妨来这里走走，感觉一下环抱着北京和天津的独特存在——河北。

扫码听书

扫码看视频

第五单元

背景撷英

白石山

◎ 下图　白石山／李庆忠　摄
◎ 右页上图　白石山一角／郭宪芳　摄
◎ 右页下图　云雾白石山／刘长虹　摄

白石山，国家5A级旅游景区，位于河北省保定市涞源县城南十五千米，太行山最北端，因山体遍布白色大理石而得名，为大理岩构造峰林地貌，是中国峰林地貌的一种新类型。主要有峰林、拒马源、十瀑峡等景点。

避暑山庄

　　承德避暑山庄，又名"承德离宫"或"热河行宫"，国家5A级旅游景区，位于河北省承德市双桥区山庄东路6号。承德避暑山庄是清朝皇帝为了实现安抚、团结中国边疆少数民族，巩固国家统一而修建的一座夏宫。

◎ 右页上左图　避暑山庄一角 / 视觉中国　供图
◎ 右页上右图　热河泉 / 姜明婷　摄
◎ 右页下图　避暑山庄美景 / 周明星　摄

冀景撷英 第五单元

草原天路

◎ 左页上图　草原天路／迟国正　摄
◎ 左页下图　草原天路航拍／视觉中国　供图
◎ 右图　　天路风光／视觉中国　供图

草原天路，位于张家口市张北县和崇礼区的交界处，是连接崇礼滑雪区、赤城温泉区、张北草原风景区、白龙洞风景区、大青山风景区的一条重要通道，也是中国十大最美丽的公路之一。

丰宁坝上草原

◎ 下图　草地流云/卢云成　摄
◎ 右页上图　漫游花海/卢云成　摄
◎ 右页下图　青山/段双群　摄

丰宁坝上草原，又名京北第一草原，位于河北省丰宁满族自治县西北部，是距首都最近的天然大草原。丰宁坝上草原是坝上草原的重要组成部分。蒙古语称此地为"海留图"，意为水草丰美的地方。

木兰围场

◎ 下图　木兰围场秋景 / 赵海洋　摄
◎ 右页上图　木兰之春 / 赵海洋　摄
◎ 右页下图　木兰盛夏 / 赵海洋　摄

木兰围场，位于河北省承德市围场满族蒙古族自治县境内，主要由塞罕坝国家森林公园、御道口草原森林风景区和红松洼国家自然保护区三大景区组成。景区内峰高谷深，森林浩瀚，河流众多，水草丰美，被誉为"河的源头、云的故乡、花的世界、林的海洋"。

塞罕坝国家森林公园

塞罕坝国家森林公园，位于河北省承德市围场满族蒙古族自治县北部，是中国最大的人工林森林公园，有"中国绿色明珠"和"华北绿宝石"之称，是滦河与辽河的发源地之一。

◎ 右页上左图　山色塞罕坝／视觉中国　供图
◎ 右页上右图　塞罕坝七星湖／柴志　摄
◎ 右页下图　七星湖晨曦／薛晓丽　摄

冀景撷英 第五单元

驼梁

◎ 左页上图　驼梁云顶草原风光／杨雪娜　摄
◎ 左页下左图　远眺驼梁／视觉中国　供图
◎ 左页下右图　驼梁夏日／赵明明　摄
◎ 上图　驼梁风光／崔素华　摄

　　驼梁，国家4A级自然风景区，位于冀晋两省交界处，它是河北平山、阜平和山西五台三县的分水岭，因主峰此起彼伏，像驼峰一样而得名。驼梁的植被覆盖率在90%以上，原始森林吸引了众多的野生动物来此栖息。

野三坡

野三坡，国家4A级风景名胜区，地处河北省保定市涞水县境内，位于太行山脉和燕山山脉交会处。强烈的构造运动和岩浆活动造就了野三坡内容丰富、类型齐全、独具特色的地质遗迹。

◎ 右页上左图　航拍野三坡／视觉中国　供图
◎ 右页上中图　野三坡鱼谷洞／视觉中国　供图
◎ 右页上右图　野三坡的夜色／曾东　摄
◎ 右页中图　俯瞰百里峡／视觉中国　供图
◎ 右页下左图　野三坡山水／视觉中国　供图
◎ 右页下右图　野三坡风光／视觉中国　供图

冀景撷英

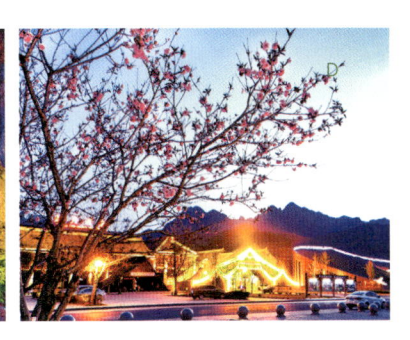

第五单元